NOITES BRANCAS

Diretor editorial
Henrique Teles

Produção editorial
Eliana S. Nogueira

Arte gráfica
Eugênio Luiz Brito

Tradução
Raphael Câmara

Revisão
Jane Rajão

EDITORA GARNIER
Belo Horizonte
Rua São Geraldo, 67 – Floresta – Cep.: 30150-070 – Tel.: (31) 3212-4600
e-mail: vilaricaeditora@uol.com.br

Fiódor Dostoiévski

NOITES BRANCAS

GARNIER
desde 1844

Dados Internacionais de Catalogação na Publicação (CIP) de acordo com ISBD

D724n Dostoiévski, Fiódor

Noites brancas / Fiódor Dostoiévski ; traduzido por Raphael Câmara. - Belo Horizonte - MG : Garnier, 2022.
74 p. ; 14cm x 21cm.

Inclui índice.
ISBN: 978-65-86588-92-7

1. Literatura russa. I. Câmara, Raphael. II. Título.

2021-2606 CDD 891.7
CDU 821.161.1

Índice para catálogo sistemático:

1. Literatura russa 891.7
2. Literatura russa 821.161.1

SUMÁRIO

Primeira Noite 9
Segunda Noite 23
A História de Nastenka 39
Terceira Noite 51
Quarta Noite 59
A manhã 71

PRIMEIRA NOITE

Foi uma noite maravilhosa, uma dessas noites como só é possível quando você é jovem, querido leitor.

O céu estava tão cheio de estrelas, tão brilhante, que alguém olharia para ele e seria forçado a perguntar: será que sob tal céu homens raivosos podem viver?

A pergunta em si é infantil, muito infantil, mas que o Senhor, caro leitor, se inspire uma e outra vez! ...

Pensando naqueles cavalheiros teimosos e irritáveis, não consigo deixar de pensar em meu comportamento — aliás impecável — naquele dia. A primeira coisa que senti quando acordei de manhã foi uma profunda irritação.

De repente me senti como se estivesse sozinho, todo mundo tinha ido embora, todo mundo tinha me deixado. Se você me perguntasse; Quem era "todo mundo"?, isso é realmente lógico. Embora eu viva em São Petersburgo há oito anos, na verdade acho difícil construir relacionamentos com outras pessoas. Mas por que preciso de relacionamentos? Eu já conheço todos os lugares de São Petersburgo. Talvez seja por isso que, quando todo o povo de São Petersburgo se levantou e foi para o campo, senti que o mundo inteiro estava me deixando.

O medo da solidão me assustou. Fiquei três dias imerso na profunda depressão da cidade e não sabia de nada do que me acontecia.

Em Perspectiva, entrei no jardim e caminhei ao longo do cais[1], não vi nenhum rosto que tivesse encontrado no mesmo lugar antes, sempre na mesma hora, o ano todo.

1. A Perspectiva Nevski, o Jardim de Verão e os cais do Neva são os três mais belos itinerários de São Petersburgo (atualmente Leningrado).

Claro que eles não me conhecem, mas eu os conheço. Conheço muito bem. Estudei seus rostos, fico feliz quando eles estão felizes e fico deprimido quando são cobertos por um véu de tristeza.

Quase fiz amizade com um velhinho que encontro todo dia no Rio Fontanka[2].

Fisionomia imponente, fala sozinho e em voz baixa me acena com a mão esquerda, na direita traz uma bengala com castão dourado.

Ele até me reconheceu e demonstrou sincero interesse por mim: de qualquer maneira, se eu não tivesse aparecido no lugar de sempre na Fontanka, teria ficado um pouco melancólico.

Por isso, às vezes queremos dizer "olá", especialmente quando estamos todos de bom humor.

Recentemente, por não nos vermos há dois dias, quando nos encontramos no terceiro dia, por pouco não tiramos o chápeu. Mas atrasamos o plano a tempo, baixamos as mãos e nos cruzamos simpaticamente.

Para mim, as casas são como amigas. Quando eu caminhava, parecia que todas estavam caminhando em minha direção na rua: elas olham para mim através de todas as janelas e dizem: "Bom dia! Como você está? Estou bem, graças a Deus, muito obrigada! Vão levantar um andar para mim em maio." Ou: "Como vai você? Vou começar uma obra amanhã." Ou: "Quase peguei fogo e fiquei com medo." E assim por diante.

Tenho umas favoritas e alguns são íntimas. Uma delas quer uma reforma de um arquiteto neste verão. Eu as vejo todos os dias, que ele não a mate; você nunca sabe. Que Deus te cuide!

Jamais esquecerei a história de uma linda casinha rosa. Era uma casa de pedra. Ela olhou para mim com olhos tão amigáveis, e para suas vizinhas com tanto orgulho, e meu coração ficava feliz cada vez que passava por ela. De repente, olhei para minha

2. O canal que atravessa o centro de São Petersburgo

amiga na rua na semana passada enquanto andava e o que foi que eu ouvi? Um grito de partir o coração: "Me pintaram de amarelo!" Malandros! Impiedosos! Seja uma coluna ou uma cornija, nada sobrou de rosa. Eis a minha amiga amarelo-canário. Por isso fiquei quase paralisado e não tive, até agora, coragem de ir ver esta pobre desmantelada com as cores do Celeste Império.

Aqui, caro leitor, você pode ver minha conexão com toda São Petersburgo.

Já disse que fui torturado por um medo severo durante três dias antes de encontrar a causa.

Eu me sentia mal na rua (essa pessoa não está aqui, aquele saiu da cidade, aquela outra pessoa, cadê?). E também me sentia assim em minha casa.

Fiquei duas noites e queria saber: O que falta no meu quarto? Por que estou tão preocupado aqui? — Olhei as paredes verdes esfumadas, o teto cheio de teia de aranha cultivada com sucesso por Matriona, vasculhei todos os meus móveis e verifiquei cada uma das cadeiras: não há problemas aqui (porque se houver apenas uma cadeira fora do seu lugar habitual, já não me sinto confortável) Olho pela janela — à toa: não encontrei nenhum alívio!

Cheguei a chamar Matriona para reclamar das teias de aranha e de sua falta de higiene: no entanto, ela apenas me olhou surpresa; e se retirou sem dizer uma palavra, e a teia de aranha ainda está pendurada o teto do mesmo jeito.

Enfim, adivinhei o que estava acontecendo esta manhã, e, claro, para se livrarem de mim, eles correram para o campo!

Perdoe-me por expressar minha vulgaridade: não estou pronto para usar um estilo formal...; o fato é que todos em São Petersburgo foram embora; na verdade, todos os senhores da burguesia me parecem pessoas que querem pegar um táxi; como pais decentes, eles caminham para sua família no campo sem bagagem após o trabalho diário; o fato é, agora todos os pedestres mostravam um semblante muito especial, e parecia dizer algo a todos: "Estamos de passagem. Partimos daqui a duas horas para o campo."

Sempre que vejo uma janela aberta, o vidro foi batido levemente por dedos brancos, e há uma linda cabeça de menina chama o vendedor de flores, de repente penso que essas flores são compradas sem ter serventia, (ou seja, não serão aproveitadas na atmosfera sufocante do quarto) e logo, logo, irão para o campo levando embora as flores.

Além disso, fiz um grande progresso nesta série de descobertas especiais que são novas para mim e agora posso identificar claramente para qual campo as pessoas iam.

Os turistas de Kamenny Ostrov e das ilhas Aptekarsky ou da Rodovia Peterhof [3] são conhecidos por seus modos atenciosos e elegantes, roupas de verão modernas e belas carruagens viajando pela cidade.

Os residentes de Pargolovo[4] e povoados vizinhos imediatamente se destacavam por sua sabedoria e autoridade. Os turistas na Ilha Krestovski Ostrov[5] podem ser reconhecidos por sua juventude.

Acidentalmente, vi uma longa fila de carroceiros segurando as rédeas nas mãos, caminhando vagarosamente, cheios de vários móveis, mesas, cadeiras, sofás turcos e outros objetos e utensílios domésticos, nos quais eles costuma se sentar. Entre todas essas pilhas — uma serva esguia guardando a propriedade de seus patrões; vi um barco cheio de utensílios domésticos deslizar ao longo do Neva ou Fontanka, a caminho do rio Negro ou das ilhas[6] e, carroças ou o barcos se multiplicavam dez vezes, cem vezes à minha vista.

3. Localidades próximas do centro da cidade, onde a população abastada ia a passeio ou férias.

4. Pargolovo fica a cerca de 15 km de São Petersburgo, na estrada da Finlândia. Nas margens do seu lago estão instaladas numerosas vivendas.

5. Uma das "ilhas" do delta do Neva que serviam de passeio aos sãopetersburgueses

6. Por "Ilhas", designa-se o grupo das ilhas Petrovski, Krestovski, Elaghine, Kamenny, valorizados pelos seus espaços verdes e pelas suas casas de campo. O rio Negro encontra-se no continente, mais a norte, atrás de Novala Derévnia.

Na minha opinião, tudo estava na rua. Todos dirigiam-se numa caravana para imigrar para os campos e São Petersburgo correndo o risco de virar um deserto, então me senti envergonhado, humilhado e incomodado: Eu não tinha para onde ir no campo e nem motivos para isso.

Mas eu estava pronto para viajar a pé com as carroças que passavam e acompanhar todo cavalheiro decente que contratasse uma carruagem. Mas absolutamente ninguém me convidou: como se me tivessem esquecido, como se eu fosse realmente estranho para eles!

Andei muito e por muito tempo, até chegar a um ponto em que havia esquecido onde estava, de acordo com o costume, e de repente me encontrei no portão da cidade. Em um instante, fiquei em êxtase, passei a barreira e caminhei pelos prados e campos de semeadura. Não sentia o menor cansaço, apenas sentia, muito forte, que minha alma não estava mais sobrecarregada.

Todos os caminhantes me olhavam com ternura e quase me cumprimentavam; todos respiravam uma espécie de alegria, e todos fumavam um charuto sem exceção. Eu me sentia mais feliz do que nunca. Como se de repente tivesse sido transportado para a Itália, de modo que fiquei cego pela magnificência da natureza, eu, cidadão meio doente, meio morto em minhas quatro paredes.

Há algo muito comovente na paisagem fora de São Petersburgo. É indescritível. Quando chega a primavera, de repente ela mostra todo o seu poder, todo o seu poder do céu, coberto de verde luxuriante, pontilhado de cores e flores... Involuntariamente, lembrava-me de uma jovem magra. Às vezes olhávamos para ela com pena, às vezes com paciência presunçosa. Quase não percebíamos sua existência, até que de repente, em um piscar de olhos, descobrimos ao mesmo tempo que nos surpreendíamos por ela ser maravilhosa e inexplicavelmente linda e, ficávamos muito nervosos, nos perguntando: que poder pode fazer aqueles olhos tristes e melancólicos brilharem tanto? O que fez o sangue manchar aquelas bochechas magras e pálidas? O que pode inspirar paixão nessas características delicadas? Por que esse peito está batendo tão forte? O que é que de repente encheu esta pobre menina de força, vida e beleza, iluminou-a com um sorriso tão brilhante e a encheu de alegria radiante? Olharemos em torno, procuraremos alguém, adivinharemos... Mas depois desse momento, talvez no dia seguinte, encontraremos o mesmo pensamento profundo e perturbado de antes, o mesmo rosto pálido, a mesma resignação e movimentos tímidos, e até mesmo o aborrecimento ou raiva de arrependimento e humilhação por esta alegria momentânea.

Então vamos nos arrepender desse encanto, essa beleza efêmera desaparecerá tão rápida e irreversivelmente que vamos nos lamentar de não ter tido tempo para amá-la...

Mas minha noite foi mais produtiva que o dia!

Aconteceu assim:

Voltei para a cidade muito tarde e eram dez horas quando cheguei em casa. O caminho que percorri passou pelo cais do canal, e não havia ninguém naquele momento. Na verdade, eu vivo em um lugar bastante remoto. Quando estou feliz, gosto de cantarolar, como qualquer pessoa feliz sem amigos ou conhecidos, que não pode compartilhar momentos felizes com eles. De repente, a mais inesperada de todas as aventuras me aconteceu.

No canto, encostada no parapeito do muro, estava uma mulher com o cotovelo apoiado na grade, como se olhasse de perto a água lamacenta do canal. Estava usando um lindo chapéu amarelo e um bonito lenço preto. "Ela é uma jovem, definitivamente tem a pele escura", pensei. Quando passei por ela sem fôlego, ela parecia não ouvir meus passos, nem mesmo se moveu, meu coração batia forte. "É esquisito!" Eu pensei, "Deve estar preocupada", de repente, parei como se estivesse sendo pregado no chão. Sim, eu não me enganara: a menina estava chorando. Depois de um tempo, ouvi outro soluço. Meu Senhor! Meu coração ficou apertado de preocupação. Embora eu geralmente tenha vergonha das mulheres, este assunto era especial!... Retornei uns passos em sua direção e exclamei:

"Moça!" Como se eu não soubesse que esse suspiro foi utilizado mil vezes em todos os romances seculares.

Foi a única coisa que me deteve, mas quando tentava encontrar uma palavra, a jovem se restabeleceu, olhou em volta com atenção, baixou a cabeça e se foi pelo canal à minha frente. Eu a persegui imediatamente, mas quando ela o percebeu, saiu do cais, atravessou a rua e caminhou em direção à calçada do outro lado. Não me atrevi a atravessar. Meu coração batia como um pássaro caindo em uma armadilha. De repente, surge uma oportunidade a meu favor.

Na calçada, por onde a garota passava, um homem de terno apareceu repentinamente ao lado dela. A idade era dele muito respeitável, mas sua aparência não era amigável. Ele cambaleou, encostando-se na parede com cautela. A moça caminhava com pressa e timidamente, assim como aquelas que não querem companhia para chegar em casa e, claro, se não fosse minha intuição em protegê-la o cavalheiro hesitante poderia pegá-la. De repente, o homem não disse uma palavra e, revigorado, correu desesperadamente para encontrar a minha moça desconhecida. Ela fugia, tão rápido quanto o vento, mas o rapaz mesmo cambaleando conseguiu chegar até ela. Ela gritou por mim:.. Agradeci aos céus por minha bengala que segurava na mão direita. Rapidamente eu estava do outro lado da rua e o malfeitor parou rapidamente, pensando em minha poderosa arma, ficou em silêncio, e me interpelou já a certa distância, apenas com uma expressão muito forte, mas suas palavras desapareceram na distância.

— Dê-me seu braço —, disse à moça —, para que ele não ouse se aproximar de você novamente.

Ela estendeu seu braço, em silêncio, ainda tremendo de emoção e choque. Oh intruso, como possó te abençoar neste instante! Dei uma olhada mais detalhadamente: como suspeitava, ela era muito bonita e morena, ainda restavam pequenas lágrimas sob seus cílios negros e eu não sabia se eram pelo susto ou ainda sobre o choro junto ao muro momentos antes.

No entanto, o canto de sua boca já estava sorrindo, e ela também me olhou preocupada, corando levemente o rosto e baixando os olhos.

— Olha, se você não tivesse me afastado, nada disso aconteceria...

— Mas eu não o conheço. Eu pensei que o senhor...

— Agora você me conhece?

— Pouco. Por exemplo, o senhor entende por que está tremendo?

— Oh, adivinhou rápido! — respondi com entusiasmo ao constatar que esta jovem é muito esperta: isto só acrescenta em sua beleza. — Sim, você adivinhou quem era eu, à primeira vista. Na verdade, tenho uma certa vergonha das mulheres. Não posso negar que estou abalado, como a você minutos atrás, quando aquele rapaz a assustou... Sinto um tipo de medo neste momento. Dir-se-ia que vivo num sonho, porém mesmo em sonhos, de modo algum, acreditei que seria capaz um dia falar com uma mulher, fosse ela quem fosse...

— O quê? Como é possível?...

— Sim, a minha mão treme, pois em tempo nenhum nela se apoiou uma tão graciosa mãozinha... Perdi totalmente o costume de tratar com mulheres; ou melhor, nunca tive esse costume... Bem vê, vivo sozinho. Nem sei como se lhes deve expressar. Veja, até então, consigo, não sei se já lhe disse alguma tolice. Se assim ocorreu, me diga francamente, porque aviso-a de que não sou suscetível...

— Não, não está falando bobagem, pelo contrário. Se você realmente quer que eu lhe diga a verdade, então eu digo: as mulheres apreciam essa timidez. E quer saber mais? Não fujo à regra e por isso, não te dispensarei até que cheguemos em minha casa.

— Já que você me trata assim — falei entusiasmado —, não serei mais tímido, e aí, adeus a todas os meus benefícios!...

— Seus benefícios? Mas quais são os benefícios? Isso não está mais tão bom.

— Desculpe, não vou insistir. Esta palavra me escapou. Mas como é possível que neste momento, eu não queira...

— Me agradar?

— É isso! Mas, pelo amor de Deus, seja bondosa! Tente me entender. Veja, tenho vinte e seis anos e nunca tive um relacionamento com ninguém. Como devo saber falar corretamente e facilmente na hora certa? Nos sentiremos melhor sendo sinceros... Assim que falamos com nossos corações, nossas bocas não param. Mas isso é a mesma coisa... Você pode acreditar em mim? Não existe sequer uma mulher! Nem amigos! Porém, todos os dias sonho em conhecer alguém mais cedo ou mais tarde. Oh, se você soubesse quantas vezes eu me apaixonei assim!

— Mas o quê? Por quem você se apaixonou?

— Não, por ninguém, mas por ideias, apenas aquelas que em meus sonhos me visitam. Eu escrevi romances inteiros em meus sonhos! Para ser sincero, você não me conhece! Na verdade, não pode ser de outra forma: conheci outras poucas mulheres, mas seriam mesmo mulheres? Sempre eram uma criada ou uma dona de casa... Te farei rir quando disser que já tentei uma vez ter uma conversa como a que fazemos agora, só com uma senhorita na rua, claro uma dona de casa, a conversa começa naturalmente com timidez, respeito e entusiasmo. Digo que morro de solidão, não tenho como entender uma mulher, e digo que é responsabilidade da mulher não recusar o pedido covarde de um homem deprimido como eu. Resumindo, meu único requisito é dizer algumas palavras gentis, algumas palavras sobre o amor, para não me rejeitarem, acreditarem na minha honestidade e ouvirem o que eu digo zombando de mim mesmo, mas diga duas palavras para me dar esperança, mesmo que nunca mais nos vejamos de novo, são apenas duas palavras e basta!... Você ri... Na verdade, o que eu disse torna possível essa reação cômica...

— Não fique nervoso. Rio porque você é seu próprio inimigo, pois se tivesse tentado mesmo que acontecesse na rua, você poderia conseguir algum êxito; quanto mais simples você for, melhor... Não teria uma mulher, a não ser que fosse uma tola na hora, ou de mau humor, que ousasse recusar as duas palavras que você timidamente suplicou... O que estou dizendo? Na verdade, eu acharia que você estava louco. O fato é que julgo as outras por mim mesmo. Sei como são!

— Muito obrigado! — Exclamei. — Você nem consegue entender o bem que acabou de fazer por mim!

— Bom! Diga-me uma coisa: como você chegou à conclusão de que eu sou a mulher... a mulher que te daria atenção, estima... resumindo: que eu não era uma serva ou dona de casa, como as outras mulheres que você citou? Porque você decidiu vir até mim?

— Por quê? Talvez seja porque você estava sozinha, porque aquele senhor é muito atrevido, por ser noite: você tem que admitir que eu não poderia fazer nada além do que fiz. Era minha obrigação...

— Não, não. Quero dizer alguns minutos atrás, no muro. Você não queria falar comigo naquele momento?

— Perto do muro? Na verdade eu nem sei te responder, tenho medo... Acredita? Fiquei muito feliz hoje, cantei, caminhei e fui aos arredores, nunca vivi um momento tão feliz. E a menina... Talvez seja apenas minha impressão... bem, desculpe lembrá-la, mas acho que você estava chorando, e então... Não aguentei... Meu coração se afligiu... Meu Deus, não tenho o direito de me doer por você? Foi um erro sentir empatia e compaixão?... Desculpe-me, eu disse "compaixão"... Resumindo, eu a ofendi pensando em entrar em contato com você de repente?...

— Pare! Chega! Não continue... — Ela me interrompeu, abaixou a cabeça e apertou minha mão. — Eu que errei ao te dizer..., mas estou feliz por não estar errada em relação a você... Chegamos na minha casa, no final dessa rua, a dois passos de distância ... Adeus, fico muito agradecida...

— É mesmo possível? Não podemos nos encontrar novamente... Tudo termina aqui?

— Viu só? — Ela sorriu e respondeu. — A princípio o senhor só queria dizer duas palavras, mas agora... Na verdade não vou dizer adeus... talvez nos vejamos novamente...

— Eu estarei aqui amanhã. Oh, desculpe, estou reivindicando muito.

— Sim, senhor está impaciente, quase exige...

— Ouça-me um minuto! — Eu a interrompi. — Desculpe-me, se eu te contar mais uma coisa... Sabe, eu não posso deixar de voltar aqui amanhã. Sou um sonhador; minha vida real se deteriorou tanto, que os momentos que experimento agora são tão preciosos para mim que não posso deixar de reproduzi-los em meus sonhos. Vou sonhar com você a semana toda, o ano todo. Amanhã com certeza estarei de volta aqui, bem aqui, no mesmo lugar, no mesmo horário, vou lembrar com carinho o que aconteceu hoje. De agora em diante, este lugar é sagrado para mim. Já tenho dois ou três desses lugares em São Petersburgo. Uma vez, até chorei por uma lembrança parecida com a que quero preservar agora... Quem sabe você também. Talvez você tenha uma lembrança que a fez chorar, como a dez minutos atrás... Mas desculpe-me, esqueci de novo... Talvez você tenha sido muito feliz aqui um dia...

— Tudo bem — disse a jovem —, para ser sincera, estarei de volta aqui às dez, amanhã, como no dia de hoje. Acho que não posso evitar... O fato é que tenho que vir aqui; não pense que concedo entrevista com tanta facilidade, repito, tenho que vir aqui por motivos pessoais. Mas, bem... Vamos, vou lhe dizer francamente: não vou ficar com raiva quando te encontrar. Além disso, como hoje, posso me sentir ameaçada ... De qualquer forma, ficarei feliz em vê-lo novamente..., para trocarmos umas palavras. Mas olhe, não me julgue mal, não faria se... mas este é o meu segredo! Só tenho uma condição antes...

— Uma condição? Diga, diga, diga tudo, eu concordo com tudo, estou pronto! — Exclamei com entusiasmo. — Sou responsável por mim mesmo, obediente, respeitoso... você me conhece...

— Só porque o conheço, é que o convido para ir amanhã —, respondeu ela com um sorriso. — Já te conheço bem. Mas tenha cuidado, você só pode vir com uma condição (faça o que eu quero, veja que eu digo com sinceridade): não se apaixone por mim... Isto é impossível, garanto-lhe. Se está aqui para fazer amizade, seja bem-vindo, está aqui minha mão... Mas por amor, não, eu te peço!

— Eu juro! — falei, segurando sua pequena mão...

— Chega, não prometa nada: eu sei que você é tão inflamável quanto pólvora. Não me culpe por falar assim. Se você souber... Não tenho ninguém para me comunicar e consultar. Claro, que não se deve buscar conselho na rua, mas o senhor é uma exceção. Já te conheço como se fossemos amigos há muitos anos... Não vai me trair, vai?...

— Você verá... apenas não sei como vou passar esta noite e amanhã o dia todo.

— Durma bem. Boa noite e lembre-se que confio em você. Você disse que devemos considerar todos os sentimentos que temos, até mesmo a fraternidade de uma amizade! Por isso, tenho o desejo de confiar a você...

— O quê? Me confiar o quê? Por Deus...

— Até amanhã! Guarde isso em segredo por enquanto. Isso é melhor para você: pelo menos aos seus olhos será como um romance. Às vezes eu posso te dizer... Vamos conversar primeiro, e nos conhecer melhor...

— Amanhã conto para vocês toda a minha história! Mas o que aconteceu? Diria que algo incrível aconteceu comigo... Onde estou, meu Deus? Me diga: você está feliz por não ter me afastado como todo mundo? Em dois minutos, felizmente me levou a alegria! Sim feliz! Quem sabe, talvez eu me dê melhor comigo mesmo e tire as minhas dúvidas... Talvez eu fique preso nesses poucos minutos para sempre... De qualquer forma, amanhã vou te contar tudo, você vai saber de tudo...

— Tudo bem, eu aceito. Você será o primeiro a falar...

— Tudo bem.

— Até amanhã!

— Até amanhã!

Então nos separamos. Andei na rua a noite toda: não conseguia voltar para o meu quarto. Estava muito radiante...

"Até amanhã!"

SEGUNDA NOITE

— Como você pode ver, esta noite e esse dia passaram —, disse ela apertando-me as mãos.

— Estou aqui há duas horas. Você não pode imaginar como superei este longo dia!

— Eu sei, eu sei... mas vamos direto ao ponto! Você sabe por que eu vim hoje? Claro que não foi para falar muito como ontem. De agora em diante, precisamos agir com mais sabedoria. Pensei muito ontem!

— "Mais sabedoria", mas em quê? No que me diz respeito, estou pronto. No entanto, na minha vida, nada aconteceu de maneira mais sábia do que o que aconteceu ontem.

— Sério? Em primeiro lugar, por favor, não aperte minha mão desse jeito; também quero dizer que pensei muito sobre você.

— Então, qual é a sua conclusão?

— Qual é a conclusão? Cheguei à conclusão de que é preciso começar de novo, porque descobri hoje que você ainda é completamente desconhecido para mim e ontem agi como criança e cheguei à conclusão de que isso é, sem dúvida, culpa da minha bondade; em todo caso, elogiei-o porque isso sempre acontece quando estamos empenhados na tarefa de nos analisarmos. Por isso, para corrigir meu erro, decidi conhecer o máximo possível sobre você. Porém, como não conheço ninguém que possa me contar, você tem que me contar tudo. Tudo nos mínimos detalhes. Então me diga: que tipo de pessoa você é? Vamos, conte sua história!

— Minha história? — gritei de surpresa. — Minha história? Mas quem te disse que eu tenho uma história? Eu não tenho história...

— Então como você viveu até aqui sem uma história? — ela me interrompeu com um sorriso.

— Eu não tenho absolutamente nenhuma história! Como dizem, eu moro na minha caverna, que significa uma pessoa solitária, muito solitária, bem solitária... Você entende o que significa: solitário?

— O que você quer dizer com isso? Que nunca se encontra com ninguém?

— Não é isso! Falando em gente, eu as vejo, mas ainda assim estou sozinho.

— Então, você nunca fala com ninguém?

— Sendo bem específico: ninguém.

— Mas então quem é você? Explique-se! Espere, deixe-me adivinhar. Você deve ter uma avó como eu. Ela é cega e, há muito tempo não me deixa ir em lugar nenhum, a ponto de mal conseguir falar. Quando eu fiz algo estúpido há dois anos, ela pensou que não tinha autoridade sobre mim e, me chamou em sua direção, amarrou sua saia à minha com um alfinete. E assim temos passados os dias: embora seja cega, ainda costura meias, e eu tenho que ficar com ela, costurando ou lendo para ela. É um hábito estranho ficar presa ao seu pé por dois anos...

— Oh meu Deus, que sorte você tem! Mas não, eu não tenho uma avó assim.

— Nesta situação, como você pode ficar em casa o dia todo?

— Escute, você quer saber quem eu sou?

— Claro que sim!

— Quer saber exatamente?

— Sim, exatamente!

— Bem, vou te atender; eu sou... eu sou um tipo.

— Tipo? Mas que categoria de tipo? — A garota falou, sorrindo com tanto entusiasmo, como se não risse há mais de um ano. — Você é bastante engraçado! Olha, aqui tem um banco: vamos sentar... ninguém vai passar, ninguém vai nos ouvir... Portanto, comece sua história rapidamente, porque mesmo que queira que eu acredite em outra coisa, você tem uma história oculta. Em primeiro lugar, o que é um tipo?

— Um tipo? É algo incomum, é uma pessoa excêntrica! — respondi com um sorriso, juntando-me a sua risada infantil. — É um algo assim. Escute: você sabe o que é um sonhador?

— Um Sonhador? Desculpe, como eu poderia não saber? Eu também sou uma sonhadora! Às vezes, quando me sento ao lado da minha avó, você não consegueria imaginar no que penso!... Olha, quando uma pessoa começa a sonhar não consegue parar mais... Um dia cheguei ao ponto de imaginar que me casei com um príncipe chinês... Na verdade, às vezes sonhar é tão bom!... Ou não... Quem sabe! Principalmente quando não há mais nada em que pensar... — Acrescentou neste momento falando sério.

— Isso é verdade! Se você já se casou com um imperador chinês, você me entenderá completamente. Olha então... não sei seu nome ainda.

— Finalmente! Até que enfim se lembrou disso!

— Minha nossa! Na verdade, não tinha pensado nisso até agora; não me pareceu necessário...

— Meu nome é Nastenka.

— Nastenka... não há mais nada?

— É isso. Não é o suficiente? Você é difícil de se contentar!

— Se é o suficiente? Pelo contrário, Nastenka é mais que suficiente, está ótimo! Você é muito bonita e te agradeço por ser apenas Nastenka para mim!

— Na realidade? então?

— Então, Nastenka, ouça e veja que história ridícula eu tenho.

Sentei-me ao lado dela em uma postura conscientemente séria e comecei, como que lendo um livro:

— Sim, não sei se você sabe, Nastenka, existem alguns lugares muito incomuns em São Petersburgo. Nesses locais, o mesmo sol que incide sobre os outros moradores da cidade parece não penetrar: o sol que lá brilha parece ser um novo sol diferente, criado especificamente para esses locais. Nestes lugares, querida Nastenka, se vive uma vida completamente diferente, diferente da que está se desenvolvendo em nosso país, esta vida existe em um mundo desconhecido, mas não em nossa época séria, excessivamente séria. Esse tipo de vida é uma mistura de pura fantasia, um certo idealismo amargo e, infelizmente, — ai de mim, Nastenka —, é grosseiramente prosaica e comum, e ainda mais vulgar.

— Ui! Oh meu Deus, que prefácio! O que mais ouvirei?

— Quem sabe, Nastenka (acho que nunca vou me cansar de chamá-la de Nastenka), você vai encontrar estranhas criaturas vivendo nesses lugares: esses sonhadores. Sabe? O sonhador, se definido em detalhes, não é um homem, é uma pessoa do gênero neutro. Na maior parte do tempo, ele se esconde em abrigos fora da trilha batida, como se até o sol quisesse se esconder e, uma vez enrolado em sua toca, trancado em uma cabana como um caracol, ou nesse sentido, é um animalzinho curioso, ao mesmo tempo um animal e um lar, chamado de tartaruga. Por que você acha que ele gosta tanto das quatro paredes, pintadas de verde uniforme, sujas, tristes, enegrecidas pela fumaça do tabaco? Por que esse cara ridículo, quando seus raros conhecidos vêm para vê-lo (seu comportamento faz todos os seus amigos desaparecerem gradualmente), por que essa pessoa saudaria os visitantes com vergonha com uma cara tão assustada e confusa, como se tivesse acabado de cometer um crime, em suas quatro paredes, parece que você foi pego fazendo dinheiro falso ou escrevendo uma carta anônima para uma revista, dizendo que o verdadeiro poeta está morto, e seus amigos acham que publicar suas obras é uma responsabilidade sagrada? Diga-me, Nastenka, é realmente tão difícil melhorar o diálogo entre esses dois interlocutores? Por que não rir e trocar algumas palavras engraçadas com este amigo espontâneo que gosta de rir em todas as outras situações e falar palavras engraçadas sobre o belo sexo e outros assuntos amigáveis? Em suma, esse amigo sem dúvida só saberá a nova data na primeira visita — pois nesses casos não haverá uma segunda. Por que o próprio visitante fica tão preocupado e frio, quando vê o rosto confuso de seu anfitrião e seu espírito, e agora ele não tem mais sensatez, para fazer um esforço enorme, mas inútil, livrando-se da dificuldade de falar e deixar que ele mostrasse com alegria sua experiência na sociedade, falando sobre justiça, pelo menos através desse reconhecimento de tentar ajudar ao pobre depravado caído em sua casa? Por que, por sua vez, o visitante pega seu chapéu e se vira rapidamente, lembrando-se de repente de uma coisa completamente inevitável que nunca aconteceu, de alguma forma deixando de lado o calor do aperto de mão do dono que agora está ocupado expressando pesar pelo tempo perdido? Quando ele sai pela porta, seu amigo sorri e garante a si mesmo que nunca mais voltará para aquela casa de uma pessoa estranha. — Embora este coração estranho seja de um grande rapaz — ao mesmo tempo sonhando com sua imaginação: mesmo à distância, comparar a aparência da pessoa com quem falava durante a visita com a aparência do infeliz gatinho, que foi perseguido de todas as formas pelas crianças que o traíram para prendê-lo e torturá-lo e que, mesmo assustado, escapa para debaixo da mesa, se espreguiça e lava, alisa o pelo com as patas, e passa o seu focinho desconfiado, e põe-se a considerar a natureza das coisas e da vida, e até as migalhas de pão que uma criada compadecida lhe atira das sobras das mesa darta...

— Escute — interrompeu Nastenka, que me ouviu surpresa desde o início com boca e olhos arregalados — escute: nem sei por qual razão vem tudo isso, ou por que me faz essas perguntas estranhas, acredito que todas essas aventuras aconteceram com você do começo ao fim.

— Sem dúvida — respondi com uma expressão séria.

— Então, já que não tem dúvidas, siga em frente, eu realmente quero ver como isso acaba.

— Nastenka, quer saber o que nosso herói está fazendo em sua fortaleza, ou mais precisamente o que estou fazendo, porque o herói de toda a história sou eu, minha própria pessoa humilde? Quer saber por que me senti tão triste e desatinado o dia todo depois que meu amigo veio me visitar de repente? Quer saber por que fiquei envergonhado e confuso quando a porta do meu quarto se abriu e sucumbi de forma infeliz à pressão da minha hospitalidade?

— Certamente, sim! — Nastenka respondeu —, porque essa é toda a dificuldade da história. Ouça: você sabe contar a história bem, mas não haveria uma maneira de contá-las um pouco pior? Quando você fala, é como se estivesse lendo um livro.

— Nastenka! — respondi com uma voz profunda e severa, tentando não rir, — Querida Nastenka, sei que posso contar bem, mas sinto muito, não posso evitar contar dessa forma. Nesse momento, me pareço com o espírito do rei Salomão que durante mil anos esteve em uma ânfora, selada com os sete selos, e ele finalmente se viu livre deste sete selos. Desta vez, querida Nastenka, quando nos encontramos novamente após uma longa separação, porque já nos conhecemos há anos, Nastenka, porque estava procurando há muito tempo alguém, ou seja, estava procurando você, e estava certo que nos veríamos um dia. — Agora que as milhares de válvulas em minha mente estão abertas, devo deixar as palavras fluírem, caso contrário, vou sufocar ou ficar em silêncio. Por isso, peço-lhe, Nastenka, não me interrompa, ouça-me com modéstia e obediência, senão não direi nada.

— Não, não, não! Eu não quero! Diga! De agora em diante, não vou dizer mais nada.

— Eu continuo. Nastenka, querida, há um momento do dia que eu gosto muito. É quando, quase todas as ocupações, funções e responsabilidades cessam. Todo mundo corre para casa para comer ou descansar enquanto se imagina encontrar outros motivos para ser feliz à noite e no resto do tempo livre. E o nosso herói também nesse momento — porque me permita, Nastenka, contar a minha história na terceira pessoa, pois se a contar na primeira pessoa terei muita vergonha —, então, nessa hora, nosso protagonista, nem um pouco desocupado, seguia os demais, mas seu rosto pálido e ligeiramente enrugado revelava uma alegria estranha. Ele não ficou indiferente ao pôr do sol, que lentamente se espalhou com seu manto no céu frio de São Petersburgo. Se digo que ele o está admirando, então estou mentindo, ele não admira, ele vê, sim, mas ele não se deleita nisso. É como uma pessoa cansada ou ocupada observando outra causa mais interessante ao mesmo tempo, de modo que quase involuntariamente presta atenção aos momentos ao seu redor. Ele ficou muito satisfeito por ter interrompido os temas chatos até o dia seguinte, e sente-se contente como um aluno que foi dispensado da escola e levou seus jogos e travessuras favoritos para o intervalo.

"Olhe para isso. Nastenka, você logo descobrirá que essa felicidade se instalou com sucesso em seus nervos fracos e afetou sua excitada e louca imaginação. Olha, pense em algo... o que seria? No jantar? Em como vai passar a noite? Qual será a maneira de olhar? Seria este senhor sério, cumprimentando a senhora que passou por ele há poucos minutos em sua carruagem elegante de forma tão pitoresca? Não, Nastenka, o que está lhe interessando nessa ninharia? Agora ele está cheio de luxúria, sua vida interior é rica, enriqueceu de uma hora para outra. O último raio do pôr do sol não brilhou em vão. Havia ondas de emoção em seu coração por isso. Agora ele mal notava o próprio caminho, embora sua atenção estivesse principalmente nos menores detalhes desse caminho rotineiramente. Aqui está a "Deusa da Fantasia" (você leu Jukovski[7], querida Nastenka?) que teceu seu tecido dourado com uma mão caprichosa e desenhou rabiscos diante de seus

7. Poeta sentimental e idealista (1783-1852) que, ainda em vida, era considerado clássico na Rússia.

olhos sobre uma vida boa e — quem sabe? — talvez tenha usado sua mão caprichosa para levá-lo ao sétimo céu de cristal neste belo caminho de granito que leva à sua casa. Agora tente pará-lo e pergunte onde está agora e o que passou; tenho certeza que ele não se lembrará de onde estava ou de onde está agora, ficará furioso de raiva, inventará todas as mentiras para se sentir confortável.

"É por isso que ele estremeceu, quase gritou e olhou em volta em estado de choque. Uma velha senhora muito decente estava voltando para casa de uma caminhada e perguntou-lhe gentilmente qual o caminho. Estava perdida. Ele continuou a caminhar, carrancudo, e mal percebeu que alguns transeuntes o olhavam com um sorriso, e seus olhos o seguiram, mas depois que uma menina deu-lhe passagem a ele, sorriu e desviou o olhar, com seu sorriso profundo e mexendo os braços. No entanto, foi a "fantasia" que levou a velha, os transeuntes curiosos, a menina zombeteira e os homens que jantavam ali felizes no barco que bloqueava o Fontanka (supondo que nosso herói tenha parado aí neste momento), astutamente envolveu todos em um véu, como uma mosca em uma teia de aranha, e com esta nova conquista, o esquisito finalmente entrou em seu quarto, sua caverna favorita, sentou-se à mesa e comeu devagar, até que voltou a realidade quando a empregada, chamada Matriona pensativa, sempre doente, depois de tirar a mesa, foi lhe entregar o cachimbo; voltou à realidade e ficou surpreso ao descobrir que jantara por completo, sem saber o que comia, nem como comia.

"O quarto caiu na escuridão, e sua alma estava vazia e triste; todo o reino da quimera desabou ao seu redor, sem deixar vestígios, sem nenhum ruído, como um sonho, e ele não conseguia se lembrar como tocou essas quimeras. Mas a sensação sombria de uma leve dor em seu peito, um novo desejo, seduziu, despertou e inspirou sua imaginação, despertando secretamente um novo exército de assombrações. O quarto pobre é muito silencioso, a solidão e a ociosidade tocam sua imaginação, acendendo-se lentamente, fervendo lentamente, como a água da velha máquina de café de Matriona, que prepara seu café caseiro na cozinha ao lado. Dá uma volta por ali e deixa cair o livro que pegou, distraidamente, das mãos do meu sonhador, que nem havia lido a terceira página. Empolgado, sua imaginação voltou a viajar e, de repente, uma nova vida voltou, e o fascinou. Novo sonho: nova felicidade. Bebe de novo outro delicioso e refinado veneno do sono! O que importa essa vida real? Vivemos uma vida tão desocupada, tão parada, tão mesquinha, estamos tão insatisfeitos com nosso destino, estamos tão cansados de nossa existência! Na verdade, observe que, à primeira vista, tudo em nossas vidas é tão doloroso e hostil... "Pobres criaturas!"; pensa meu sonhador. Não há nada surpreendente em sua mente! Olhe para essas almas mágicas formadas na frente dele: fascinantes, bizarros, expansivo e infinitos, numa fantástica imagem animada, naturalmente em primeiro plano como protagonista, a preciosa personalidade do nosso herói. Veja: que aventuras diferentes, que turbilhão sem fim de sonhos elevados! Você pode estar se perguntando: Qual é o seu sonho? Por que fazer essa pergunta? Obviamente, ele sonha com tudo... Ele se vê como um poeta, primeiro ignorado, depois consagrado; na amizade com Hoffmann, nos assassinatos durante a noite de São Bartolomeu, em Diane Vernon[8], no papel heroico na captura de Kazan por Ivan, o Terrível, Clara Movbray[9]. Effle Deans[10], em Huss na frente dos bispos que se reuniram no concílio, na rebelião dos mortos de Roberto, o Diabo (lembra dessa música? Leve-nos ao cemitério!), em Mimna e Brenda[11] na batalha de Beresina, ao ler um poema no

8. Personagem do romance Rob Roy, de Walter Scott.

9. Personagem de Walter Scott em Saint Roman's Well.

10. Personagem de Walter Scott em Hearth of Midlorhian.

11. Personagens de Walter Scott no romance citado na nota anterior.

palácio da condessa V...a D...a[12] em Danton, em Cleópatra e *i suoi amanti*, no casebre de Kolomna[13], em um pequeno abrigo que, a seu lado um parente querido o ouvisse, em uma noite de inverno, com sua boca pequena e grandes olhos verdes em abertos — como a Nastenka me escuta neste momento!...

"Não, Nastenka, no que ele está interessado, esse tipo de imersão no lazer da desocupação, a vida que nós perseguimos? Em sua opinião, esta é uma vida pobre e infeliz, sem saber que talvez consiga alguma amargura para si mesmo, e esta infeliz vida um dia desistirá de toda a bagagem de suas fantasias loucas. Não era felicidade ou alegria. Neste momento de dor, arrependimento e desgosto sem fim, ele nem queria se decidir. Mas até que esse momento terrível venha, ele não quer nada, ele supera seu desejo, porque não lhe falta nada, ele está satisfeito, é o criador de sua própria vida, construído de acordo com sua imaginação no momento. Na verdade, este mundo de fantasia é tão simples e natural! Realmente não parece uma ilusão! Em algum momento, vamos realmente acreditar que toda esta vida não é um sentimento de exaltação, uma ilusão, uma ideia errada, mas algo real, mas verdadeiro e existente! Diga-me, Nastenka, por que está sem fôlego nesse momento? Por qual bruxaria se lhe aceleram pela vontade desconhecida em seu coração, as lágrimas que correm dos olhos do sonhador, enchem suas faces pálidas e quentes e o enchem de felicidade irresistível? Por que a noite sem dormir é tão rápida, envolta em alegria e felicidade sem fim, e quando o amanhecer penetra pela janela com uma luz rosa, e o sol da manhã incendeia seu quarto triste com uma luz difusa onírica, como costuma acontecer em São Petersburgo, nosso sonhador cansado e exausto deitado na cama, adormecido com um entusiasmo doloroso e desigual e uma respiração doentia, em seu preguiçoso e doce coração?

12. Talvez Vorontsova Dachkova.

13. Poema de Pushkin.

"Sim, Nastenka, erramos, apesar de irmos contra a nossa vontade, acreditando que a efetiva e verdadeira paixão aflige a alma, acreditando que existe algo vivo e tangível num sonho invisível! Mas que ilusão, para dar um exemplo: o amor encheu seu peito, com sua alegria sem fim, com todo o cansaço... Olhe para isso e veja o que quero dizer! Querida Nastenka, isso é o suficiente para acreditar que ele nunca viu aquela que ama tão profundamente como em um grande sonho? É possível que ele só a tenha visto nesses adoráveis fantasias, e essa paixão, para ele, será apenas um sonho? É possível que em tantos anos de sua vida, ele nunca tenha apertado a mão dela, sozinhos, ignorando todo o universo, e conectando um à sua vida ao outro? Será possível que não tenha sido ela que deitou em seu peito no crepúsculo, chorando de desespero no momento da separação, não tenha ouvido a tempestade que se desdobrou sob o céu sombrio, não tenha sentido as lágrimas violentamente puxadas pelo vento, de seus cílios negros? Talvez tudo isso seja apenas um sonho. Este jardim deserto, melancólico e desolado, este beco coberto de musgo, é solitário e cheio de hostilidade. Será que eles muitas vezes caminharam nele, esperando, desesperando, amando-se, amando-se por tanto tempo, longamente e com afeto? E esta casa ancestral e singular onde ela viveu sozinha, triste por tantos anos, assim como seu velho e sombrio marido, sempre silencioso e carrancudo, um homem que os assustava, porque eram como crianças, tímidas, melancólicas e medrosas escondendo seu amor? Como eles se torturaram, quão assustados, quão puro é seu amor, quão (é claro, Nastenka)! quão más são as pessoas! E, meu Deus, não foi exatamente ela que ele encontrou estando longe da pátria, sob o céu estranho, meridional e escaldante, na maravilhosa Cidade Eterna, no esplendor da dança em um baile, ao som da música, num *palazzo* (à força, num *palazzo*), imerso num mar de fogo, nesta galeria salpicada de mirtos e rosas, onde o reconheceu, tirou rapidamente a máscara e sussurrou: "Sou livre!" Ela se jogara nos braços dele, tremendo e soluçando, e então, eles gritaram de alegria juntos, esquecendo sua infelicidade em um piscar de olhos, e a dor do adeus, toda decepção, a expectativa cruel, o velho marido, o jardim escuro ao longe, e o banco onde ela fugiu dele no último e apaixonado beijo, desesperada e sem esperança... Oh, admito, querida Naskinka, queria fugir, por ter ficado com vergonha como um colegial que acabou de esconder uma maçã roubada no bolso, quando seu amigo, saudável, alto, feliz, alegre, falante, abre a porta do quarto sem avisar, gritando como se nada tivesse acontecido: "Sou eu, meu caro, acabei de voltar de Pavlovsk!" Deus misericordioso, o velho marido está morto, a felicidade finalmente chegou, felicidade indescritível, o amigo resolve chegar de Pavlovsk[14]".

Depois de dizer meu pobre discurso, eu (infelizmente) fiquei em silêncio. Lembro-me muito claramente que tive uma terrível vontade de rir e rir alto e, ao mesmo tempo, senti que havia um demônio hostil em mim, minha garganta estava começando a bloquear, minha mandíbula tremia e meus olhos estavam ficando mais e mais marejados... Esperava que Nastenka, que ouvia com atenção o meu discurso, com seus olhos verdes grandes e espertos, desse uma gargalhada infantil, irresistivelmente espirituosa, e comecei a me arrepender de ter falado demais, em vão, e dito algo que me encheu o coração por muito tempo, para que eu pudesse falar como num livro, escrito por muito tempo, o veredito de mim mesmo (isso não me impediria de lê-lo, embora admita que não esperava ser compreendido)... Mas, para minha surpresa, ela não disse nada. Depois de esperar um pouco, ela apertou minha mão suavemente e perguntou timidamente e preocupada:

— Você realmente viveu assim por toda a sua vida?

— Minha vida toda, Nastenka, — eu respondi, — minha vida toda, e eu acho, e vou acabar assim!

14. Pequena cidade, estância de férias a 25km ao norte de São Petersburgo, célebre pelos seus concertos.

— Não, é impossível — ela respondeu calmamente —, isso não pode ser. Assim será, provavelmente, a minha vida se continuar com minha avó. Ouça: você sabe que não pode viver assim?

— Eu sei, Nastenka, eu sei! — Exclamei, incapaz de conter meus sentimentos. — Agora eu sei mais do que nunca que perdi os melhores momentos da minha vida em vão! Agora eu sei e fico mais preocupadamente ciente, porque Deus mandou você, meu bom anjo, para me mostrar tal situação. Agora sentado ao seu lado e conversando com você, tenho medo de pensar no futuro, porque ele será solitário e continuarei sendo inútil e sozinho nesta vida... então, estando acordado a seu lado e sendo muito feliz, com o que mais posso sonhar? Que abençoada foi você que não me afastou imediatamente, e pude te dizer isso hoje. Ao menos vivi duas noites durante minha longa vida!

— Oh não, não! — disse Nastenka chorando, com lágrimas brilhando em seus olhos. — Não, isso nunca vai acontecer. Não nos separaremos assim! O que são apenas duas noites?

— Nastenka, Nastenka! Você sabe que conseguiu me fazer me redimir comigo mesmo por muito tempo? Sabe, que a partir de agora não terei uma visão ruim de mim como às vezes tenho? Sabe, que a partir de agora posso me confessar por ter cometido crimes na minha existência (porque uma vida como eu tenho é crime e pecado)? Não pense que estou exagerando, pelo amor de Deus, Nastenka, não pense nisso, porque passei por momentos tão desesperadores e chatos... porque nesse momento, na minha opinião, parece que nunca poderei começar uma vida real, porque na minha opinião, parece que perdi todo o sentido do tato, todo o sentido do presente, do verdadeiro; porque, resumindo, me amaldiçoei; porque depois de noites maravilhosas, passei por um terrível momento de depressão! Mas ouvimos o rugido das pessoas ao redor e girando no redemoinho da vida, ouvimos e vemos como as pessoas vivem, e vivem sobriamente, vemos que a vida não é proibida, a vida não vai desaparecer como um sonho, uma visão, sua vida se atualiza constantemente, sempre jovem, uma hora não é igual à outra, uma fantasia ansiosa torna-se sombria e monótona ao ponto da mediocridade, tornando-se escrava das sombras e dos pensamentos, escrava da primeira nuvem, que de repente escurecerá o sol, pressionando o verdadeiro coração de "são petersburguês" com saudade, zeloso de seu sol... Que durante a aflição não tem ilusões!

"Sentimos que esta imaginação sem fim finalmente se esgota, se esgota em uma tensão constante, porque estamos ficando maduros e superando velhos ideais, que se acabam em pó e quebrados. Se não houver outra vida, você também deve usar esses entulhos para construí-la. Mas a alma pede e quer outra coisa! É por isso que o sonhador buscou em vão pelo menos uma centelha nas cinzas de seu antigo sonho, que soprou ao seu redor e aqueceu seu coração, resfriado pelo novo fogo, e restaurou nele tudo o que antes era tão agradável. Tudo que tocou sua alma, tudo que fez seu sangue ferver, tudo que o fez chorar, tudo que o enganou tão maravilhosamente. Você sabe, Nastenka, até onde eu cheguei? Sabe que eu tenho que comemorar o aniversário de minhas emoções, o aniversário de algo tão precioso para mim, mas que na verdade nunca existiu — porque este aniversário é sempre para comemorar o mesmo sonho sem sentido — e no fim, esses sonhos idiotas não existem, porque não há como separá-los da vida: afinal, os sonhos nascem da vida, certo?

"Sabe, agora gosto de lembrar os lugares que costumava ser feliz do meu jeito e visitar em certas datas. Gosto de viver em harmonia no presente junto com o passado irreversível, vagando sem rumo, sombriamente e tristemente muitas vezes no deserto e nas ruas de São Petersburgo como uma sombra.

"Que lembranças! Lembro-me, por exemplo, de um ano atrás, nessa época, nessa estrada, eu estava tão solitário e escuro como hoje! Observe que os pensamentos na época também eram muito tristes; embora tudo não fosse tão feliz, sentia que a vida era mais fácil e mais tranquila, e este pensamento negro não existia nela, e tem me assombrado agora; e esses problemas de consciência, escuridão e arrependimentos cruéis que me tornaram solitário dia e noite. Uma pessoa pode fazer uma pergunta: Onde estão seus sonhos então? E balança a cabeça dizendo: os anos passam tão rápido!... Nos perguntamos novamente: O que você fez com os anos de sua vida? Onde você deixou seu tempo mais precioso? Você viveu de verdade? Sim ou não? Olha, dizemos a nós mesmos, vejamos como o mundo se esfria. Os anos passam, os anos passam depressa, a triste solidão finalmente chegará, a velhice será sacudida por suas bengalas e, com o passar dos anos, trará consigo a tristeza e a dor. Seu mundo de fantasia empalidece; seus sonhos morrerão, murcharão, cairão da árvore como folhas mortas... Oh, Nastenka, sozinho e solitário, será uma tristeza não ter absolutamente nada do que se arrepender, nada... porque o que se perdeu, tudo somado, não é nada, é estúpido e zerado completamente, tudo virou sonho!

— Por favor não me emocione mais! — disse Nastenka, enxugando as lágrimas que rolaram do canto do olho. — Mas acabou! Somos nós dois agora. De qualquer forma, nunca seremos separados. Veja, eu sou uma menina simples, não estudei muito, embora minha avó tenha contratado um professor; mas eu entendo você porque depois de tudo que você acabou de me dizer, eu me vi com minha avó presa à saia. Claro, não poderia te contar de uma forma tão impactante como você o fez, porque como te disse, não estudei muito na vida — acrescentou timidamente, porque sempre teve um certo respeito pelo meu tom deplorável e comportamento pomposo. — Agora eu o conheço completamente, eu o conheço da cabeça aos pés. Você quer saber de uma coisa? Vou lhe contar minha história, vou contar a mim própria descaradamente, e então você vai me dar alguns conselhos em troca, porque você é uma pessoa inteligente. Promete-me isso?

— Ah, Nastenka — respondi — nunca fui conselheiro de ninguém, muito menos um desses inteligentes, mas agora eu vejo que se continuarmos a nos ver assim, será muito inteligente por si só essa prática, então cada um de nós dará um ao outro muitos conselhos inteligentes! Então, querida Nastenka, que conselho você me pediria? Diga-me francamente. Agora estou tão feliz, tão alegre, tão corajoso, tão inteligente que as palavras virão à minha mente com facilidade.

— Não, não! — Nastenka o interrompeu com um sorriso. — Eu não preciso apenas de um conselho inteligente, mas um que também venha do coração, um conselho muito fraterno, como se me amasse toda a sua vida!

— Tudo bem, Nastenka, tudo bem! — exclamei feliz. — Se eu te amasse por vinte anos, não seria possível amá-la mais ou melhor.

— Dê-me sua mão!

— Aqui está! — respondi e estendi minha mão.

— Então vou começar a minha história!

A HISTÓRIA DE NASTENKA

— Você já sabe a metade da história, porque sabe que tenho uma velha avó...

— A menos que a outra metade seja maior do que essa. — Interrompi com um sorriso.

— Cale a boca e ouça. Antes de continuar, vamos fazer um combinado: não me interrompa, ou posso perder o rumo da história. Escute com atenção.

"Eu tenho uma avó. Vim para a casa dela muito cedo porque perdi meus pais. As pessoas acreditam que minha avó era muito rica, porque ela ainda se lembra daqueles tempos áureos. Foi ela quem me ensinou francês e depois contratou um professor. Quando eu tinha quinze anos — agora estou com dezessete — abandonei a escola. Nesta época, eu fui tão idiota, — foi sobre isso que te falei — não vou te contar o que foi essa idiotice, não me causou tantos danos assim. No entanto, uma bela manhã, minha avó me disse que por ser cega e não poder me seguir, decidiu me prender junto à saia dela com um alfinete, e completou que, se eu não me corrigisse, passaríamos a vida inteira assim. Enfim, não tive como me soltar nos primeiros dias: para trabalhar, estudar, ler, eu sempre estava com a minha avó. Certa vez, tentei convencer Fiokla a me substituir, ela é nossa criada e ela é surda. Fiokla ocupou meu lugar, nessa hora minha avó adormeceu na cadeira, e consegui sair com uma amiga para longe. Bem, a história acabou mal. Minha avó acordou enquanto eu estava fora e me perguntou algumas coisas, porque achava que eu ainda estava sentada no meu lugar ao lado dela. Fiokla percebeu o que minha avó estava perguntando, mas não conseguia ouvir nada. Depois de pensar no que poderia fazer, não encontrou solução, abriu a alfinete e saiu correndo...

Nesse momento, Nastenka parou e começou rir. Eu ri com ela. Ela imediatamente parou de rir.

— Ei, não ria da minha avó. Eu rio porque me é engraçado... afinal... essa é a vovó... apesar de tudo, eu sinto amor por ela. Bom... naquele momento isso me preocupou muito; ela imediatamente me forçou a voltar ao meu lugar, e eu já não podia fazer nada, nem me mexia.

"Aliás, esqueci de dizer que temos, ou melhor, minha avó possui uma casa, ou melhor, uma casinha, com apenas três janelas, uma pequena casa de madeira da idade de minha avó e, no andar de cima, fica o sótão. Bem, um dia, um novo hóspede se instalou neste sótão.

— Então quer dizer que havia um antigo hóspede? — perguntei.

— É verdade — respondeu Nastenka —, acontece que ele era muito calado... na verdade, sua língua mal podia se mover. Ele era um velho seco, cego e coxo de modo que não teve chance de viver neste mundo daquela forma e morreu; por isso, precisávamos arranjar um novo hóspede, porque não podíamos ficar sem esse recurso, que junto com a pensão da vovó era toda a nossa renda. Este novo hóspede era um jovem, não era da cidade, e estava de passagem. Como ele não se preocupou com o preço, minha avó concordou em acomodá-lo.

"Um dia me perguntou: "Então, Nastenka, nosso convidado é jovem ou não?" Não queria mentir para ela: "Bem, vovó, ele é muito jovem para ser velho e muito velho para ser jovem. "Humm... E tem um físico agradável?", — a vovó perguntou. "De novo, eu não queria mentir para ela. "Sim", eu disse, com boa saúde, avó! Ela: "Droga, droga! Te digo uma coisa, minha filha, não deixe essa visão te distrair, a não fique olhando. Que tipo de século é esse! Olha esse cliente, não tem nada e tem boa aparência! Antigamente era diferente!

"Para a vovó só existe os tempos antigos. A verdade é que nestas épocas ela era mais jovem, o sol era mais forte, a nata não azedava rapidamente: é sempre isso de "antigamente!" — Não disse uma palavra: por que minha avó me lembrava de coisas antigas e me perguntava sobre a fisionomia do novo hóspede? Mas, como eu disse antes, fiquei em silêncio, apenas pensando, e imediatamente comecei a contar minhas malhas e meias de tricô, e então me esqueci completamente disso.

"Certa manhã, o hóspede veio a nossa casa e nos lembrou de que havia a promessa de trocar o papel de parede de seu quarto.

Em uma palavra, minha avó — muito tagarela — me disse:

"Nastenka, vá até meu quarto e pegue o ábaco." Eu pulei, corando até a raiz do meu cabelo, sem entender o motivo, e esqueci que estava presa; não soltei o alfinete para que o convidado não percebesse, e pulei para frente puxando a cadeira de minha avó junto comigo. Vendo que o hóspede já sabia tudo sobre mim, me envergonhei e de repente comecei a chorar no chão: eu estava com tanta vergonha que desejava até mesmo querer morrer! A minha avó então gritou: "O que você está fazendo aí parada?" E minha situação só piorava... O hóspede me viu tão sem graça que me cumprimentou e saiu.

Desde então, ao menor som que ouvia no corredor me fazia ficar paralisada. Sim, disse a mim mesmo, se o hóspede for passar eu secretamente abro o alfinete. O fato é que nunca era o hóspede quem passava. Após duas semanas: o hóspede mandou uma mensagem via Fiokla dizendo que tinha muitos livros franceses, todos boas obras que poderiam ser lidos: a senhora não quer que uma garota leia para ajudar a passar o tempo? Vovó concordou agradecida, mas ela sempre perguntava se eram livros morais, porque se fossem imorais, "Nastenka, seria bom se você não os lesse, porque aprenderia coisas ruins com eles."

"— Qual é o problema, vovó? O que há nesses livros imorais?"

"— Eles descrevem como garotos seduzem garotas honestas, como eles as buscam da casa de seus pais com pretexto de casamento, e depois dizem como eles deixaram essas infelizes entregues ao seu próprio destino, e como elas morrem de maneira cruel.

"Eu, — minha avó disse, — li muitos desses livros, e todos são escritos assim, de modo que quando eu li, passou da noite para o dia bem rápido. Então, Nastenka, tome cuidado, não leia. Mas diga-me quais livros ele trouxe?"

"— São os romances de Walter Scott, vovó."

"— Livros de Walter Scott! Mas espere, não tem uma malandragem por trás disso? Olha bem, será que ele não colocou algum bilhete entre as páginas?

"— Não, vovó, não há nenhum bilhete.

"— Olha por baixo do encadernado. Às vezes, eles se escondem sob essa parte encadernada, esses espertos!..."

"— Não, vovó, não tem nada no livro. Não tem bilhete algum".

"— Que bom.'

Começamos a ler Walter Scott, lemos quase metade dos livros emprestados em um mês. Então ele emprestou vários outros, também, os de Pushkin, então eu já não poderia viver sem livros e não mais sonhava em me casar com um príncipe chinês.

As coisas estavam assim quando uma vez encontrei o hóspede na escada. Vovó havia me pedido para encontrar algo que não me lembro agora. Ele parou, eu fiquei sem graça e ele ficou vermelho, mas ele sorriu e disse bom dia, perguntando por minha avó dizendo: 'Você leu os livros? "Sim", respondi. "Qual você gostou mais?" Eu disse: "Ivanhoé e Pushkin são os melhores." E ficamos assim.

Uma semana depois, encontrei-o na escada. Não foi minha avó quem me mandou buscar alguma coisa naquele momento, mas eu que precisava de algo. Já era duas horas da tarde, e o hóspedes costumava entrar em casa neste horário. 'Boa tarde!', disse ele. E eu: 'Boa tarde!'

"— E então", disse ele, "você não fica entediada em casa o dia todo com sua avó?"

"Não sei por quê, fiquei vermelha, senti vergonha e muito humilhada, sem dúvida porque as pessoas tomaram a liberdade de me perguntar sobre isso. Não queria responder e sim, fugir, mas nem tive forças para isso.

"Escute", disse ele, "você é muito boa. Desculpe-me em te dizer isso mas isso pode estar acontecendo, desejo-lhe tudo de bom, mais do que sua avó. Você não tem amigas para poder visitar?

Eu disse a ele que tinha a Machenka, mas que foi para Pskov.

"— Escute', disse ele, 'você quer ir ao teatro comigo?'

'— Ir ao teatro? E minha avó?'

'— Mas", sem o conhecimento de sua avó..."

'— Não", eu disse, "não quero enganar minha avó. Adeus!'

'— Bem, adeus', disse ele, sem acrescentar mais nada.

Ele só voltou à nossa casa depois do jantar. Se sentou e conversou com a vovó por um longo tempo, e perguntou se ela saía e se ela tinha amigos, e de repente disse:

'— Aliás, hoje comprei um camarote de ópera , "O Barbeiro de Sevilha"; havia combinado em ir com os amigos, mas depois eles mudaram de ideia. Então esse ingresso é inútil.

'— O Barbeiro de Sevilla!...', minha avó exclamou. 'É o Barbeiro que encerraram noutros tempos?"

'— Sim, é esse mesmo Barbeiro!', ele disse e olhou para mim. Entendi tudo na hora, meu rosto estava vermelho e meu coração batia de esperança!

'— Por que não lembraria?' — vovó disse. 'Lembro-me muito claramente. Eu mesma uma vez fiz o papel de Rosina em um teatro amador.'

'— Bom, a senhora gostaria de ir à ópera hoje?' — perguntou o hospede . 'Caso contrário, meu ingresso será inútil.'

'— Sim, poderíamos?' — perguntou a vovó. 'Por que não vamos?' Olha, minha Nastenka nunca esteve em um teatro.

"Ai meu Deus, quanta alegria! Nós imediatamente nos vestimos e saímos. Minha avó queria ouvir música mesmo sendo cega. Ela também tem um coração bondoso: seria ótimo se eu pudesse me distrair, sozinhas, nós nunca iríamos. Não direi a impressão que "O Barbeiro de Sevilha" me deixou. Eu apenas digo que nosso hóspede me olhou de um modo durante todo o show, e a maneira como ele falou comigo, me fez notar imediatamente que ele só queria me testar quando sugeriu que eu fosse sozinha com ele ao teatro. Oh meu Deus, que felicidade! Fiquei muito orgulhosa e muito feliz quando fui para a cama, meu coração batia com tanta força que tive uma ligeira febre e passei a noite toda me lembrando de "O Barbeiros de Sevilha".

"Imaginei que ele viria frequentemente à nossa casa após esse dia, mas não: ele quase nunca voltava. Às vezes, ele nos via uma vez por mês apenas para nos convidar a ir ao teatro.

"Fomos mais umas duas vezes, mas eu não ficava alegre. Só vi ele ter pena de mim porque me viu com minha avó naquela situação. Com o tempo, fui enlouquecendo: não era mais minha dona, estudava sem querer, trabalhava de qualquer jeito, às vezes eu ria e provocava a minha avó, às vezes eu só chorava. No final, perdi muito peso e quase adoeci. No final da temporada de apresentações da Ópera, o hóspede não vinha mais até nós; quando nos encontrávamos — sempre na escada, claro —, cumprimentávamos em silêncio com expressões sérias, como se hesitássemos: ele já estava no fim da escadaria e eu continuava o caminho, vermelha como uma pimenta, porque toda vez que o via, minhas bochechas se coravam.

"Já estou terminando. Em maio, um ano atrás, o hóspede veio a nossa casa e disse a minha avó que havia concluído com sucesso seus negócios aqui e que teria que voltar a Moscou por um ano. Quando ouvi isso, meu rosto ficou pálido e desabei em uma cadeira. Vovó não percebeu nada. Ele disse que estava saindo da sala, cumprimentou e se foi.

"Fazer o quê? Pensei muito, fiquei com raiva e finalmente tomei uma decisão. Ele iria embora no dia seguinte, e decidi solucionar tudo durante a noite, quando minha avó dormisse. E assim foi: amarrei todas as minhas roupas, todas as roupas de que precisava em um nó, e segurando tal trouxa na mão, quase moribunda, subi a escada até o sótão do nosso hóspede. Pareceu que demorei mais de uma hora para subir a pequena escada. Ele se assustou ao me ver abrir a porta. Ele pensou que eu era um fantasma, meu rosto estava pálido... Então ele correu para pegar um copo d'água, já que quase não conseguia ficar de pé. Meu coração batia tão forte e minha cabeça doía tanto que quase desmaiei. Quando me recompus, coloquei a trouxa na cama primeiro, sentei-me no canto e chorei com as mãos no rosto como uma Madalena. Acho que ele entendeu tudo bem rapidamente. Ele ficou na minha frente de pé, pálido e me observou com tanta tristeza, que senti meu coração partido.

'— Escute!', ele começou. '— Escute, não posso fazer nada; sou muito pobre; não tenho nada próprio, nem mesmo um emprego fixo; se eu me casar com você, como vamos viver?'

Conversamos muito, mas no final fiquei com muita raiva e disse que não poderia mais morar com a minha avó, que iria fugir daquela casa, e não queria estar presa com um alfinete. Ele quisesse, sim ou não, iríamos para Moscou juntos, porque eu não poderia viver sem ele. Vergonha, amor, orgulho, tudo isso se misturava com a minha raiva, e quase me convulsionei e caí na cama, pois tive medo da rejeição!

Ele ficou sentado por alguns minutos sem dizer uma palavra; então, ele se levantou, caminhou até mim e pegou minha mão.

'Escute, minha bela, minha querida Nastenka!', disse ele entre a voz se afogando em lágrimas. Ouça. Juro para você, se um dia eu tiver condição para me casar, me casarei com você, então ouça: estou indo para Moscou, só vou ficar lá um ano. Espero que possa resolver meus problemas por lá. Quando voltar, se ainda me amar, te prometo que seremos muito felizes. Agora é impossível. Não tenho capacidade nem direito de te prometer nada. No entanto, reitero a você que, embora isso não aconteça antes de um ano, com certeza acontecerá um dia, é claro, se Nastenka não escolher outro, porque eu não quero que você faça nenhum juramento.'

"Ele me contou isso e foi embora no dia seguinte. Decidimos juntos a não contar nada para minha avó. Ele quis isso. Veja, minha história está quase acabando. Um ano se passou, ele chegou a São Petersburgo há três dias, e então...

— E daí? — exclamei, mal podendo esperar para saber o final.

— E ele ainda não veio até mim! — respondeu Nastenka, como se tivesse reunido todas as suas forças para isso. — Nenhuma palavra sequer...

Tendo dito isso, ela parou, ficou em silêncio por um momento, levantou a cabeça e, de repente, cobriu o rosto com as mãos, chorou e rasgou meu coração.

Eu não esperava esse resultado.

— Nastenka! — comecei timidamente a dizer: — Nastenka!, não chore pelo amor de Deus! Quem sabe ele não chegou ainda...

— Ele está aqui na cidade! — ela respondeu — Ele está aqui, eu sei. Naquela noite, um dia antes de sua partida, combinamos uma coisa: depois que conversamos as palavras que eu lhe disse, concordamos em vir para cá, exatamente neste cais. Já era dez horas; estávamos sentados neste banco, parei de chorar, e fiquei muito radiante em ouvir o que ele disse... Ele me disse que viria à nossa casa, assim que chegasse e, se eu não recusasse, contaríamos tudo para a vovó. O fato é que ele chegou, tenho certeza, e até agora absolutamente nada, nada!...

Ela começou a chorar novamente.

— Oh, meu Deus! Então não tem uma forma de você diminuir esta decepção? — exclamei me levantando do banco, completamente atordoado. — Diga-me, Nastenka, posso ir na casa dele?...

— Isso é possível na sua opinião? — ela me perguntou, olhando para mim rapidamente.

— Parece-me que não! — reconheci preocupado. — Mas escuta, há outra solução: escreva uma carta para ele.

— Não, isso é impossível, isso é impossível! — ela respondeu com firmeza, mas abaixou a cabeça e não olhou para mim.

— Impossível por quê? — insisti no plano. — Olha, Nastenka, que tipo de carta pensa? Existem diversas formas de escrever... Pronto, é isso. Acredite em mim, você sabe que não vou lhe dar maus conselhos. Tudo pode ser consertado! Você já deu o primeiro passo, Nastenka, por que não, agora...

— Não, não! Parece que eu quero te forçar a fazer um juramento...

— Oh, querida Nastenka! — interrompi minhas palavras com um sorriso no rosto. — Não, não há nada assim! Conforme ele havia te prometido algo, você tem o direito de fazê-lo. Na verdade, por tudo que você me confidenciou, posso ver que ele é uma pessoa com boas intenções e boa conduta — insisti cada vez mais entusiasmado com minhas conclusões e a lógica do meu conselho. — Sim, como ele se comportou? Ele disse que iria se casar contigo, a menos que decidisse não se casar; por outro lado, Nastenka, ele deu-lhe liberdade total até mesmo para o recusar... Nessas condições, você pode dar o primeiro passo, e você tem o direito de fazê-lo, pois tem pelo menos uma vantagem sobre ele, como abrir mão de suas palavras...

— Ouça: como escreveria esta carta?

— Como?

— Sim, a carta que você disse.

— Muito simples, vou escrever "Senhor...".

— Precisa escrever "Senhor"?

— Com certeza! Na verdade, deixe-me pensar...

— Está bem! Então o quê?

— "Senhor,

'Desculpe, se...' Aliás, não, nada de desculpas! Somente os fatos provam tudo. Basta escrever:

'Escrevo-lhe. Desculpe a minha impaciência; no entanto, demorou um longo ano e estou embriagada de esperança. Se agora eu não aguento a dúvida por mais um dia, a culpa é minha. Agora que você está de volta, pode ter mudado de ideia. Nesse caso, minha carta servirá como garantia de que vou ficar magoada e não vou te culpar. Não te culpo por não me ter assegurado lugar no teu coração: sem dúvida era este o meu destino!

'Você é generoso. Não irá sorri ou ficar com raiva de mim pelas palavras impacientes. Se recorde que sou uma pobre menina sem ninguém para ajudar ou aconselhar e não sabia como controlar meus impulsos do coração. Mas, por favor, me perdoe se minha alma tiver duvidado por um momento. Você não consegue nem em pensamento ofender alguém que te amava tanto e ainda te ama.

— Sim, sim, eu estava pensando assim mesmo! — Nastenka exclamou com alegria em seus olhos. — Ah, você tirou minhas dúvidas, Deus te mandou aqui! Obrigada! Estou muito grata!

— Mas por quê? Por que Deus me enviou? — respondi, olhando com entusiasmo seu rosto lindo e radiante.

— Sim, no mínimo por isso.

— Oh, Nastenka! Às vezes agradecemos as pessoas por viverem conosco nossas angustias, certo? Agradeço apenas por conhecê-la, obrigado pelas memórias que ficarão para mim por toda a vida.

— Bom, chega, chega! Me escute: como eu disse a você, assim que ele chegasse, iria sinalizar sua chegada e enviar uma carta para um lugar específico na casa de amigos, pessoas simples e boas que não sabem de nada; ou se ele não tivesse a oportunidade de me escrever, porque há muito o que não pode se dizer na carta, ele viria aqui às dez horas, no mesmo dia porque decidimos nos encontrar neste local. Já sabia da chegada dele, mas três dias depois ele não me escreveu nem apareceu, não posso deixar minha avó pelas manhãs. Encaminhe a minha carta às pessoas boas que lhe contei, que vão entregar à ele, se houver resposta, me entregarão às dez horas da noite.

— Mas... e a carta? Primeiro você tem que escrever. Tudo isso só pode ser feito depois de amanhã.

— A carta... — respondeu Nastenka, um pouco constrangida — esta carta... mas...

Ela não acabou a fala, porque antes desviou de mim seu rosto, ficou vermelha e, de repente, eu senti uma carta em minha mão. Estava escrita muito claramente há muito tempo, concluída e fechada. Uma memória bonita, amigável e familiar emergiu de minha mente.

R, o — Ro; s, i — si; n, e — ne, comecei.

"Rosine!," nós cantamos juntos. Ela estava tão animada que quase a peguei nos braços. Ficou corada e sorriu com lágrimas em seus cílios negros penduradas como pérolas.

— Vamos, basta! Adeus! — ela disse rapidamente. — Pegue esta carta e o endereço para onde deve levá-la. Adeus! Adeus! Até amanhã!

Ela segurou minha mão com força, acenou para mim e, em seguida, se foi tão rápido quanto uma flecha em direção ao alvo.

"Até amanhã! Até!" Essas palavras passaram pela minha mente quando ela já tinha sumido.

TERCEIRA NOITE

Hoje foi um dia triste e chuvoso, sem luz, como a minha velhice no futuro.

Pensamentos estranhos me incomodavam, sentimentos confusos, questões, que ainda eram obscuras para mim, persistiam em minha mente, e eu não tinha o poder nem o desejo de resolvê-los. Não, não poderia resolver todos estes problemas!

Não nos vimos hoje. Quando nos despedimos ontem, o céu estava densamente coberto por nuvens e a névoa se tornou cada vez mais densa. Eu disse que o dia seria ruim, e ela não respondeu porque não queria se culpar: porque para ela estava ensolarado sem nuvens escuras para cobrir sua felicidade.

"Se chover, não nos veremos, — disse ela, — não irei."

Achei que não notaria a chuva de hoje, mas ela não veio.

Nos encontramos ontem pela terceira vez, nossa terceira noite branca.

Mas felicidade e alegria tornam as pessoas bonitas! Como o amor completa o coração das pessoas! Quando nos sentimos felizes, nos parece que nosso coração transborda para o coração daqueles que amamos. Queremos que todos sejam felizes e que todos se alegrem. Como essa felicidade é contagiosa! Suas palavras, ontem, expressaram a bondade e gentileza que ela sentia por mim em seu coração... Quanto ela se preocupa comigo, quanto me acaricia, quanto inspira meu coração! Oh, que alegria insípida isso inspira! E eu... tendo tudo como certo, cheguei a pensar que ela...

Mas, meu Deus, como eu poderia acreditar em uma coisa dessas? Como poderia ser cego, não vi que esses tesouros não são para mim, pelo menos essa ternura, esse cuidado, esse amor...

sim, o seu amor por mim, resumindo, é apenas uma espécie de alegria íntima de conhecer outra pessoa, por outro lado, e para impor sua felicidade a mim?... Quando ela viu que ele não vinha, que esperamos à toa, ela ficou triste, tímida e assustada. Todos os seus gestos, todas as suas palavras tornaram-se menos naturais, menos agradáveis, menos esperançosas. Estranhamente, ela voltou sua atenção para mim, como se instintivamente quisesse dar-me os cuidados que ela desejava, e que começou a temer que eles não se tornassem realidade.

Minha Nastenka estava muito tímida e assustada nesse momento, me parece que ela finalmente entendeu que até agora eu sofria e a amava, tendo compaixão do meu pobre amor. De fato, quando estamos infelizes, vivemos mais a infelicidade dos outros; o sentimento não se acaba, ele se condensa...

Eu fui com o coração aberto, contando o tempo restante para nos encontrarmos. Eu nem admiti que ficaria deprimido ou hoje e que tudo iria ficar diferente do normal.

Ela estava radiante de alegria, ansiosa por uma resposta, e a resposta era ele mesmo. Ele chegaria e responderia à sua angustia. Nastenka havia chegado bem antes de mim. A princípio sorria por qualquer coisa que dissesse, cada palavra que eu dizia provocava seu riso. Comecei a falar e depois silenciei.

— Você sabe por que estou tão feliz hoje — perguntou ela — tão feliz em te ver? Por que gosto tanto de você hoje?

— Vá em frente — disse, e meu coração batendo forte.

— Eu gosto porque você não se apaixonou por mim. Qualquer um, na sua posição, iria me repreender, aborrecer, insistir, fazer suspirar; pelo contrário, você é tão gentil...

Ela segurou minha mão com muita força neste momento, e quase gritei. Rimos.

— Meu Deus, que bom amigo você tem sido! — continuou em um tom muito sério instantes depois. — Deus o colocou em meu caminho! Pense no que aconteceria comigo se você não estivesse ao meu lado agora! Como você é altruísta! Como o senhor tem apreço por mim! Quando casar, seremos mais que amigos, como que irmãos! Eu vou te amar quase como eu o amo...

Naquele momento, senti uma forte tristeza, mas algo em meu coração se agitou como uma risada.

— Nastenka está muito empolgada — disse eu —, está apavorada, tem medo que ele não venha.

— Vá pro inferno! — respondeu. — Se eu não estivesse feliz, iria chorar por causa de sua descrença e acusações. Na verdade, você me deu uma ideia e me ajudou a refletir. Mas isso é para o futuro: agora, admito que você está dizendo a verdade. Não, não estou no meu estado normal, estou completamente paralisada, e sempre vivo com muita intensidade... Mas chega, vamos deixar nossos sentimentos calmos!...

Nesse momento, o som de passos soou, e a figura no escuro era particularmente atraente. Um transeunte veio até nós. Todos estremecemos; ela teve vontade de gritar, baixei a mão e fiz sinal para ir embora, mas estávamos enganados: não era ele.

— Do que você tem medo? Por que soltou minha mão? ela disse e apertou minha mão novamente. — Bem, o que isso importa? Nós vamos encontrar ele juntos. Eu quero que ele veja você e como nos gostamos.

— "Como nos gostamos!" repeti.

"Oh Nastenka, Nastenka", pensei, "O que você disse com essas palavras! Às vezes, amores assim, esfriam o coração e suprime a alma. Suas mãos estão frias, minhas mãos estão em chamas. Que tipo de cega você é, Nastenka!... Em alguns momentos, como a felicidade é insuportável! Mas, de qualquer forma, não posso ficar com raiva de você!..."

Resumindo, meu coração estava transbordando.

— Escute, Nastenka! — exclamei — Você sabe o que aconteceu comigo o dia todo?

— Diga-me o que é? Diga-me o quê! Diga-me rapidamente! O que você tem escondido de mim?

— Primeiro, depois de cumprir todas as minhas funções, deixado a carta para seus amigos, após isso... voltei para o meu quarto e me deitei.

— Só isso? — Ela me interrompeu com um sorriso.

— Sim, quase tudo — eu respondi calmamente, com lágrimas em meus olhos. — Acordei uma hora antes de nos encontrarmos, mas parecia que não havia dormido. Eu não sei o que tinha de errado comigo. Estava a caminho para contar tudo isso à você, diria que o tempo parou para mim, um sentimento único, a partir desse momento, para sempre pausado, este minuto durará eternamente, enfim, toda a minha vida ficou interrompida... Quando acordei, pareceu-me que me veio à mente um certo tema musical que já conhecia há muito tempo, ouvido outrora em algum lugar, e esqueci-me, mas era agradável. Parecia que toda a minha vida tinha indo embora de minha alma, e agora apenas...

— Oh meu Deus! Oh meu Deus! — Nastenka interrompeu —, como isso é possível? Não consigo entender uma palavra.

— Oh, Nastenka! Eu quero transmitir essa estranha impressão para você de uma forma satisfatória... — comecei com uma voz triste, e, embora estivesse longe, ainda existia uma esperança.

— Pare com isso, pare! — disse ela.

Em um instante ela adivinhou, muito travessa!

De repente, ela ficou muito falante, feliz e marota. Ela me deu o braço, ria, e queria me fazer rir também, cada palavra tocante que lhe dizia causava uma risada contorcida, tão intensa, tão longa... Comecei a ficar com raiva; de repente ela começou a mostrar alegria.

— Olha — disse ela. — Você não se apaixonou por mim, e eu realmente me sinto um pouco amuada por isso. Como compreender os homens! Da mesma forma, você não pode me parabenizar por minha humildade. Eu te falo tudo, todas as bobagens que piscam em minha mente.

— Escute! Parece que são onze horas... — eu disse quando um sino tocou em uma torre no centro da cidade ao longe.

Ela parou, imediatamente parou de rir e começou a contar.

— Sim, onze! — disse ela finalmente com uma voz tímida e indecisa.

Imediatamente me arrependi de tê-la assustado, de pedir que contasse o tempo e me amaldiçoei por essa explosão de raiva. Eu estava zangado por culpa dela e não sabia como resolver. Eu me propus uma tarefa reconfortante, defendi o motivo da ausência do rapaz e criei vários argumentos. Naquele momento, ninguém era mais fácil para enganar que ela. A propósito, todas as criaturas gostam de ouvir qualquer consolo e de ter as menores desculpas.

— A propósito, Nastenka é uma tola — continuei ficando cada vez mais entusiasmado e admirando meu testemunho pela clareza excepcional —, na verdade, ele não poderia vir. A Nastenka também me enganou, seus sonhos me fascinaram tanto que esqueci o tempo... Pense nisso: ele dificilmente já recebeu esta carta; suponha que não pôde vir e vai responder por escrito. Nesse caso, a carta chegará apenas amanhã de manhã. Irei à casa dele na primeira hora da manhã e irei imediatamente lhe contar o que aconteceu. Vamos supor muitas outras coisas: que ele não estava em casa quando a carta chegou, então ainda não a pôde ler... Tudo pode acontecer, certo?

— Sim, é verdade! — ela respondeu. — Não havia pensado nessas possibilidades... Claro, tudo pode acontecer — ela continuou com uma voz completamente reconciliada. Com essa voz você poderia ouvir uma dissonância incômoda, um pensamento distante, inconsistente com o que ela dizia. — Olha, você tem que fazer isso — continuou ela —. Você partirá o mais cedo possível amanhã e, se receber alguma notícia, aparecerá imediatamente a mim. Você sabe onde eu moro? — Ela repetiu-me seu endereço.

De repente ela ficou muito doce e tímida comigo... Ela parecia me ouvir com atenção, mas quando perguntei a ela alguma coisa que não me lembro, ficou quieta, tensa e se virou. Olhei nos olhos dela: aconteceu o que eu temia; ela estava chorando.

— Como isso é possível? Não seja criança... por favor, pare!

Ela tentou se acalmar com um sorriso, mas sua mandíbula tremia e seu peito subia e descia.

— Estou pensando em você — ela me disse depois de um momento de silêncio. — Você é tão bom, que se não o sentisse, seria uma pedra... Sabe no que acabei de pensar? Eu os comparo um com o outro. Por que não? Por que você não é ele? Ele não é tão bom, mas eu o amo mais do a você.

Eu não respondi, ela esperou, parecia que queria alguma resposta minha.

— É verdade, eu posso ainda não o entender totalmente, não o conhecer totalmente. Você vê, eu sempre tiver um pouco de medo dele, ele sempre foi tão sério, tinha um jeito mesmo tão orgulhoso. Na verdade, eu sei que ele é assim, apenas um jeito de ser mas, no fundo do coração, possui mais carinho que no meu... Me lembro do olhar dele pra mim no momento que cheguei em seu quarto com a trouxa na mão. Respeito muito ele, nesse sentido a gente não é tão igual, não é isso?

— Não, Nastenka, não — respondi —, significa apenas que você o ama mais do que tudo e que o ama bem mais do que a si mesmo.

— Sim, para ser honesta — respondeu Nastenka inocentemente. — Mas você sabe o que de repente passou pela mente? Não vou falar sobre ele agora, mas de modo geral; já faz muito tempo que tenho isso na minha cabeça. Então ouça: por que não nos tratamos uns com os outros como irmãos e irmãs? Por que mesmo o melhor dos homens sempre tem algo a esconder um do outro e se cala em sua frente? Quando você sabe que não vai falar sobre perda total, por que dizer de maneira desonesta e confortável o que é importante para você? Pelo contrário, todos parecem mais cruéis do que realmente são, como se tivessem medo de se expressar muito rápido e distorcer seus sentimentos...

— Sim, Nastenka! O que você acabou de dizer é verdade! Mas isso acontece por muitos motivos — eu a interrompi e reprimi meus sentimentos de uma forma sem precedentes.

— Claro que não! — Ela respondeu com confiança. — Por exemplo: você é diferente das outras pessoas. Sim, não sei como expressar meus sentimentos por você, mas na minha opinião, por exemplo... ao menos neste instante..., parece que está sacrificando algo por mim — acrescentou ela, lançando-me um olhar ligeiro. — Desculpe-me se eu te digo assim: eu sou uma moça simples, não conheço muito bem o mundo, na verdade às vezes não consigo nem me expressar — ela continuou a falar com a voz trêmula, com segredos escondidos que eu não conhecia, e sorriu com esforço ao mesmo tempo —, mas eu só quero te dizer, que sou grata a você, ficaria feliz em poder te provar... Que Deus te conceda felicidade por tudo o que você fez por mim! Ouça, o que você me disse sobre os seus sonhos é totalmente mentiroso, quero dizer, não tem a ver com você. Você é um santo, você é muito diferente da pessoa que eu imaginava. Se um dia você se apaixonar por alguém, Deus lhe dará felicidade! Quanto a ela, nada lhe posso desejar, ela estará com você. Eu sou uma mulher e sei bem, você tem que acreditar em mim quando eu te digo isso...

Ela parou e segurou minha mão com firmeza. Chocado, não consegui falar nada. Alguns minutos se passaram.

— Sim, eu não acho que ele virá hoje! — ela finalmente ergueu o rosto e disse. — Está tarde!

— Ele virá amanhã — eu disse a ela com uma voz firme e convincente, tanto quanto possível.

— Sim — ela acrescentou com entusiasmo —, posso ver isso com clareza agora, e ele não estará de volta até amanhã. Bem, vejo você depois, até amanhã! Não virei caso chova, mas virei depois de amanhã, virei assim mesmo: estarei aqui porque quero te ver e vou te contar tudo.

Então, no momento da despedida, ela estendeu a mão, olhou para mim com franqueza e disse:

— Então agora estamos unidos por toda a eternidade, certo?

"Nastenka, Nastenka! Se ao menos você soubesse como estou solitário agora!"

Não pude ficar em meu quarto após às nove horas, me vesti e, apesar do mau tempo, fui ao cais e sentei no nosso banco. Andei um pouco pela sua rua, mas, sem graça, me virei sem olhar para a sua janela. Entrei em meu quarto em desespero, como nunca tinha acontecido antes. Que clima úmido e cansativo! Se estivesse melhor, teria caminhado por esses lugares a noite toda...

Mas até amanhã, até amanhã! Amanhã ela vai me contar tudo. Mesmo assim, nenhuma carta chegou hoje. Mas, na verdade, essa é a lei natural das coisas. Eles já estão juntos...

QUARTA NOITE

Ai meu Deus, como tudo aconteceu! Como tudo acabou! Cheguei às nove horas e ela já estava lá. Tinha visto de longe. Ela ficou como da primeira vez, apoiando os cotovelos no parapeito do muro e não percebeu minha chegada.

— Nastenka! — gritei, quase incapaz de controlar minha excitação.

Ela rapidamente se virou para mim.

— Sim — disse — venha logo!

Olhei pra ela desnorteado.

— E a carta? Trouxe? — ela repetiu, colocando a mão no parapeito.

— Não, não tem carta não... — finalmente disse: — Ele não veio?

Seu rosto ficou pálido e ela me olhou imóvel. Eu havia destruído sua última esperança.

— Então, Deus o ajude! — disse ela com voz rouca — Droga! Que vá para o inferno, já que me deixou abandonada aqui.

Ela baixou os olhos, queria me olhar, mas não conseguiu. Depois de mais alguns minutos, tentou conter sua frustração, mas de repente se virou e começou a chorar, apoiando os cotovelos no corrimão do cais.

— Chega! Vamos! — eu disse, mas quando a vi daquele jeito, não tive coragem de continuar, o que poderia dizer a ela?

— Não tente me confortar — disse-me ela em lágrimas — não fale comigo dele, não diga que ele ainda virá, que ele não me deixou tão cruel e desumanamente como está óbvio. Por quê, por quê? Em minha carta haveria algo?... nesta carta infeliz...

O soluçar interrompeu sua voz e meu coração se partiu.

— Que cruel e desumano! — ela repetiu. — E nem uma linha, nem uma linha sequer! Se ele pelo menos respondesse que não precisava de mim, que não me queria..., mas não escreveu nem uma linha em três dias completos! Como é fácil humilhar e insultar uma pobre menina indefesa, que o único pecado é amá-lo! Quanto sofri nestes três dias! Meu Deus, meu Deus! Quando me lembro que fui encontrá-lo primeiro, me humilhei por ele, chorei e pedi-lhe que me desse uma gota de seu amor... Depois de tudo!... Escute — ela se virou para mim enquanto dizia, seus olhos escuros brilhavam —, mas não, não é desse jeito! Isso não pode ser verdadeiro. Isso não é natural! Ou você está errado ou eu estou errada. Ele pode não ter recebido esta carta! Ele pode não saber de nada ainda! Como é possível, escuta, diga-me, em nome de Cristo, me explique; Por que eu não consigo entender como agir com a brutalidade e crueldade com que ele utilizou comigo? Nenhuma palavra avulsa! Mesmo a mulher mais infeliz merece um pouco de consideração. Será que já ouviu falar de mim, alguém falou mal de mim? — exclamou e se virou para mim com olhos curiosos. — Diga-me o que você acha disso?

— Ouça, Nastenka, vou vê-lo amanhã.

— Então?

— Eu perguntarei e vou contar tudo a ele.

— Bom.

— Escreva uma carta. Não diga não! O obrigarei a te respeitar, ele saberá tudo, e...

— Não, meu amigo, não — ela me interrompeu. — Já chega! Não escreverei nenhuma palavra, nada sobre mim, nem uma linha; basta! Eu já não o conheço mais, eu não o amo mais, vou esquecê-lo...

Não pude terminar.

— Se acalme, por favor! Sente-se, Nastenka — eu disse e coloquei-a de volta no banco.

— Mas eu estou calma. Já chega! Não há nada. Estas são apenas lágrimas, que vão secar. Então você acha que vou morrer, que vou me jogar à água?...

Meu coração estava pesado, eu queria falar, mas não podia.

— Escute! — ela continuou a segurar minha mão. — Diga-me: você não faria isso, faria? Não desistiria de ninguém que venha voluntariamente expressar seu amor, e não teria desprezado implacavelmente com todo seu estúpido coração... Você a teria resguardado disso, certo? Pensaria no fato de que ela estava sozinha, incapaz de expressar, incapaz de defender seu amor por si mesma, inocente, sim, inocente, porque no final..., ela não fez nada... meu Deus, meu Senhor!...

— Nastenka! — finalmente não pude deixar de dizer segurando minha emoção. — Nastenka, você me tortura! Você quebra meu coração e me mata, Nastenka! Eu não posso mais ficar em silêncio! Preciso falar e te dizer o que está se passando em meu coração...

Quando lhe disse isso, me endireitei no banco. Ela pegou minha mão e me olhou muito surpresa.

— O que aconteceu? — ela finalmente disse.

— Escute-me! — eu disse confiante. — Escute, Nastenka! O que lhe direi agora é uma bobagem, impossível, uma bobagem! Sei que isso nunca vai acontecer, mas ainda não consigo ficar em silêncio. Em nome de tudo que você sofreu, peço desculpas antecipadamente. Peço desculpas...

— Mas o que é? O que há de errado? — disse ela. Ela parou de chorar e olhou para mim, com uma curiosidade estranha brilhando em seus olhos lindos e surpresos. — O que acontece com você?

— É impossível, mas eu te amo, Nastenka! Isso é o que eu sinto. Eu disse tudo — falei com um gesto de desespero. — Então eu vou deixar você decidir se quer continuar falando comigo, como a um minuto atrás, quando você finalmente ouvir tudo que eu quero te dizer...

— E daí? — ela interrompeu. — O que tem nisso? Eu sabia que me amava há muito tempo, mas na minha opinião, me amava assim, modestamente: Oh, meu Deus, meu Deus!

— A princípio foi... "dessa forma", Nastenka, agora... agora... Nastenka, eu estou na mesma situação que você quando foi ao quarto dele com sua trouxa na mão. O pior é que ele não amava ninguém, como você Nastenka, ama agora...

— Do que você está falando? Eu ainda não entendo você! Mas ouça como aconteceu, por que de repente... meu Deus, estou falando bobagem! Mas você...

Nastenka estava completamente assustada, suas bochechas ardiam e ela olhou para baixo.

— O que devo fazer, Nastenka, o que devo fazer? É minha culpa, ofendi... Não, não! Não é minha culpa, Nastenka; eu sofro, sinto muito, porque meu coração me diz que estou certo, porque eu nunca poderia te ofender, eu nunca poderia te machucar! Era seu amigo; bem, ainda sou seu amigo; não desisti de nada. Olha, as lágrimas estão escorrendo pelo meu rosto, Nastenka. Deixe-as rolar, deixe-as rolar, não perturbam ninguém. Vão se secar, Nastenka...

— Mas sente-se, sente-se! — ela me disse e queria que eu me sentasse no banco de qualquer jeito. — Meu Senhor!

— Não, Nastenka, não vou me sentar. Não posso mais ficar aqui, não posso voltar a vê-la ver. Direi tudo e depois vou embora, só quero dizer que você jamais descobriria que a amo. Enterraria meu segredo. Não usaria meu egoísmo para torturá-la neste momento. Mas não consegui me controlar: Você falou primeiro, a culpa é sua, Nastenka, é a única culpada, não tenho nenhuma falta. Você não pode me mandar embora...

— Mas não vou te afugentar, nem pensar! — disse Nastenka, tentando esconder seus sentimentos, coitadinha!

— Você não vai me mandar embora? Não mesmo? Eu queria fugir de você para bem longe! Aliás, eu vou embora, mas primeiro quero dizer tudo isso, porque quando a Nastenka estava falando aqui, eu não conseguia me acalmar, quando estava chorando aqui, quando aqui se aborrecia com aquele... com ele... — falarei das coisas como são —, com aquele rapaz que te afastava, que rejeitava o seu amor, senti tanto amor por você no meu coração, Nastenka, tanto amor!... Martirizava-me muito não poder ajudá-la com este amor... meu coração estava partido, eu... eu não me calei, precisei falar, Nastenka, fui obrigado!

— Sim, sim! Fale comigo, apenas fale comigo assim, — ela disse com uma emoção indescritível. — Você pode achar estranho que eu diga isso, mas... fale comigo e eu falarei depois de você! Falarei tudo também!

— Tenha misericórdia de mim, Nastenka. Eu só te peço isso, minha amiga! Está feito e é difícil superar isso! O que já foi dito não pode mais ser apagado, pode? Bem, você sabe tudo. Este é o ponto de partida. Pois bem! Tudo está perfeito agora. Ouça-me por mais alguns minutos. Quando estava sentada lá chorando, pensei comigo (deixe-me dizer o que eu acho!) Eu pensei (de fato Nastenka, é impossível), Nastenka pensei... Achava, de qualquer maneira... de qualquer maneira, que absolutamente... independentemente de qualquer coisa, a Nastenka não o ama. Bem — ontem e anteontem, Nastenka, assim pensei — então acho que se fosse assim mesmo, faria de tudo para você me amar; não disse, a própria Nastenka, certa vez que quase se apaixonou por mim? Mas e daí? Bem, não tenho muito mais a dizer: basta acrescentar como seria se fosse mútuo este amor. Mas, nesse sentido, não há mais o que dizer! Ouça-me, querida amiga — não importa o que aconteça, você ainda é minha amiga, não é? Na verdade, sou uma pessoa simples, pobre e extremamente insignificante; mas esse não é o ponto (não sei por quê, nunca consigo dizer o que preciso e quero dizer: é porque estou emocionado

Nastenka); eu teria te amado tanto que não sentiria vergonha do meu amor, mesmo que continuasse a amá-lo, a amar aquele que não conheço. Poderia experimentar, a cada minuto e a cada segundo, sentindo que havia um coração reconhecível batendo ao seu redor, cheio de gratidão, um coração caloroso por você... Oh, Nastenka, Nastenka, o que fizeste comigo!...

— Não chore, eu não quero que você chore — disse, levantando-se rapidamente do banco. — Vamos, levante-se, venha comigo, não chore. — Ela enxugava minhas lágrimas com seu lenço enquanto falava. — Agora vamos, vamos embora. Talvez eu te diga uma coisa... Sim, ele se esqueceu de mim, me deixou, embora eu ainda o ame (não quero te enganar)... mas me escute, me responda. Por exemplo, se eu te amasse, isto é, se eu apenas... oh meu amigo, meu amigo, quando penso no quanto ri do seu amor, no quanto sofreu, elogiei-o por não ter se apaixonado por mim!... Ai meu Deus, por que não adivinhei, por que não percebi... que tola... mas... bem, estou com vontade, vou lhe contar tudo...

— Ouça, Nastenka: Sabe de uma coisa? Vou-me embora, te deixarei! Na verdade, estou apenas torturando você. Ouça, agora você se arrepende de ter zombado de mim, mas eu não quero, não quero que além do seu amargo desgosto... Claro que a culpa é minha, Nastenka, então, adeus!

— Espere! Espere! Você não pode esperar?

— Esperar o quê? Por quê?

— Eu amo a ele, mas vai passar, tem que passar. Isso já está acontecendo, posso sentir... Quem sabe hoje mesmo acabe, porque eu o odeio por rir de mim enquanto você chora comigo, você não me afastou como ele, porque me ama, e ele nunca amou. Você me ama... Sim, eu também te amo! Amo você, como você me ama. Fui eu quem te disse antes de você me contar, não foi? Eu o amo porque é nobre e melhor do que ele, porque ele...

A pobrezinha ficou tão emocionada que, depois de falar, pôs a cabeça no meu ombro e depois se encostou no meu peito, chorando desoladamente. Eu a consolei e encorajei, mas nada a impedia de sofrer; ela continuava segurando minha mão, soluçando e dizendo: "Espere, espere. Já vai parar! O que eu quero te dizer... não essas lágrimas... não, elas vêm até mim assim, de forma sincera, espere que já vão embora... "

Finalmente ela parou de chorar, enxugou as lágrimas e recomeçamos novamente. Eu queria conversar já há muito tempo, mas ela me pedia para esperar. Nos calamos... Finalmente conseguiu com coragem começar a falar.

— Olhe — ela disse em uma voz fraca, que de repente tocou em algum lugar e perfurou meu coração ferozmente, me fazendo sentir uma dor afável —, não acredite que sou inconstante, indecisa, não acredite que posso esquecer e trair facilmente do dia para a noite. Por um ano inteiro, jurei amá-lo, por Deus, nunca, mesmo em meu coração, nunca o traí. Ele despreza este sentimento, zomba de mim e me trata mal! Machuca e humilha meu coração. Que isto sirva de exemplo! Eu... o amo, porque só posso amar as pessoas que são generosas, compreensivas e nobres, porque busco ser assim e ele não é digno de mim: portanto, que a deslealdade lhe sirva! Antes saber tudo agora que depois, após ser totalmente iludida em meus sentimentos. Não é? Mas quem sabe, todo o meu amor seja apenas uma ilusão de sentimento e imaginação, talvez tudo tenha começado por ingenuidade e estupidez, por minha avó estar muito colada em mim. Talvez eu amasse outro homem completamente diferente, que sentisse pena de mim...e... e... Vamos deixar isso! Vamos parar com isso! — ela fez uma pausa, sem fôlego de excitação. — Eu só quero te dizer... Só quero te dizer que, mesmo que eu ame a ele (não, mesmo que eu tivesse amado a ele), se mesmo assim você ainda quiser... se sente que seu amor é grande o suficiente para tirar do meu coração o amor que uma vez alimentei..., se você quisse ser piedoso, se você não quiser me deixar entregue ao meu destino, sem consolo e esperança, se quiser me amar tal qual me ama agora, então, eu juro para você, minha gratidão... Meu amor acabará por ser digno... Nesse caso, você aceita minha mão?

— Nastenka! — falei, engasgado pelo soluço — Nastenka, ah, Nastenka!...

— Bem, chega, chega. Vamos, já chega! — ela disse com dificuldade de se dominar. — Agora tudo foi exposto. Não é isso? Você não acha? Bem, você está feliz, e eu também estou feliz. Mais nenhuma palavra sobre isso. Aguardemos. Com calma... Pelo amor de Deus, vamos dizer qualquer outra coisa!...

— Sim, Nastenka, sim! Agora me sinto tão feliz que... Chega de falar desse assunto; eu... Está bem, Nastenka, vamos falar de outra coisa, rápido, rápido, vamos falar de outra coisa... Sim! Estou pronto...

Não tínhamos noção do que dizer, rimos, choramos e dizíamos muitas coisas sem continuidade e nem sentido; caminhávamos em um passeio e repentinamente mudávamos o caminho para o outro lado da rua; então paramos e caminhamos pelo cais; como crianças...

— Agora eu moro sozinho, Nastenka — comecei a dizer, — amanhã... Na realidade, você sabe, Nastenka, eu sou muito pobre, tenho apenas mil e duzentos rublos, mas não importa...

— Claro que não importa; a vovó tem pensão, e não será para nós um grande fardo, ela precisa viver conosco.

— A propósito, ela vai morar conosco... Aliás, tem a Matriona...

— Ah, nós também temos a Fiokla!

— Matriona é uma boa mulher. Só tem um defeito: não tem imaginação, Nastenka, não tem imaginação nenhuma. Mas não importa!...

— Está bem, não importa, todas podem ficar, mas a partir de amanhã o senhor virá morar conosco.

— Na sua casa?... bem, eu concordo...

— Sim, será nosso convidado, hóspede. Temos um pequeno quarto no sótão. Não está ocupado. A última hóspede, uma senhora idosa, já partiu, e eu sei que minha avó queria que um homem jovem assumisse o quarto. Eu perguntei a ela: "Por que um jovem?" Ela respondeu: "Nada, eu sou mais velha e... Não pense, Nastenka, que eu quero dar a você como marido..." mas eu imediatamente entendi que essa era ideia dela...

— Ah, Nastenka ...!

E começamos a rir sem parar.

— Está bem, chega! Diga-me onde o senhor mora? Esqueci -me de perguntar — disse ela.

— Perto da ponte, no prédio Barannikov.

— Em um prédio grande?

— Sim, em um prédio grande.

— Sim, eu sei: um prédio lindo. De qualquer forma, saia de lá o mais rápido possível e venha para nossa casa...

— A partir de amanhã, Nastenka, a partir de amanhã. Ainda tenho que pagar um pedaço do aluguel, mas não importa... receberei meus proventos em breve...

— Além disso, posso dar aulas. Vou estudar primeiro, depois vou dar aulas...

— Bem, isso é ótimo... e eu vou receber um bônus em breve, Nastenka...

— Então, venha amanhã e você será meu convidado...

— Sim, e ouviremos *O Barbeiro de Sevilla*, porque eles vão trazê-lo de volta ao teatro.

— Sim, vamos... — concordou, sorrindo, Nastenka. — Mas é melhor não ser "O Barbeiro", mas qualquer outra ópera...

— Sim, isso é ótimo, qualquer outra ópera então... Claro que seria melhor. Não pensei nisso...

Quando dissemos isso, nós dois caminhamos como bêbados, cobertos de névoa, sem saber definir o que acontecia conosco. Ao mesmo tempo que conversávamos, ficávamos muito tempo parados, já voltávamos a caminhar e Deus sabe aonde íamos parar, rindo e chorando... Nastenka decidira voltar para casa de repente, e não quis lhe atrapalhar nesse desejo acompanhando-a até a porta; estávamos na estrada e, de repente, um quarto de hora depois, voltávamos ao cais em frente à margem junto ao nosso banco. De repente, ela suspirou, as lágrimas brotaram de novo em seus olhos, e eu estava tímido e gélido... Mas então ela apertava a mão sua na minha, me arrastava de volta, andando conversando, sorrindo...

— Chega, é hora de ir para casa. Deve ser tarde — disse Nastenka por fim. — Basta de criancice.

— Sim, Nastenka, mas não conseguirei dormir: não vou voltar para o meu quarto esta noite.

— Nem eu; definitivamente também não conseguirei dormir. Mesmo assim, me acompanhe.

— Claro.

— Mas desta vez iremos mesmo para casa.

— Com certeza! Vamos sim...

— Palavra de honra?... Realmente, independente do que nos aconteceu, temos que ir para casa mais cedo ou mais tarde.

— Palavra de honra! — respondi com um sorriso.

— Então vamos embora!

— Olhe para o céu, Nastenka, veja! Amanhã teremos um bom dia. Que céu azul, que lua redonda! Olha a nuvem que quer se esconder, olha, olha!... Não, acabou, mas olhe bem!...

Nastenka não olhou para a nuvem: estava silenciosa, como se estivesse pregada no chão, depois de um tempo, ela se aproximou ao meu lado timidamente. Sua mão tremia na minha, eu vi... ela se aproximou de mim com mais vontade.

Nesse momento, um jovem que caminhava na nossa frente, parou de repente, olhou para nós, alguns passos passaram. Meu coração começou a bater.

— Nastenka — eu disse suavemente — quem é esse?

— É ele! — ela sussurrou para mim, me pressionando com mais força... Eu mal conseguia me sustentar com minhas pernas.

— Nastenka, Nastenka, é você! — uma voz soou atrás de nós. Ao mesmo tempo, o jovem deu alguns passos em nossa direção...

Meu Deus, que berro! Como ela estava trêmula! Como soltou-se de meus braços e voou para ele!...

Eu olhei para ela destroçado, e no momento em que ele colocou a mão em seus braços, ela de repente se virou para mim; ela veio até mim como o vento e o relâmpago. Antes de eu acordar do momento, ela colocou os braços em volta do meu pescoço com força e me beijou apaixonadamente. Então, sem dizer uma palavra para mim, correu para ele novamente, agarrou sua mão e arrastou-o para longe.

Fiquei muito tempo ali olhando para eles... Finalmente desapareceram ao longe.

A MANHÃ

Minha noite havia acabado naquela manhã, era um dia terrível, com chuva forte e tristemente caindo na janela. Estava escuro no quartinho, porque do lado de fora da janela estava nublado, minha cabeça girava, estava com enxaqueca e meu corpo todo estava febril.

— Uma carta para o senhor, patrão! Foi o correio que trouxe, ouvi a voz de Matriona.

— Carta? De quem? — eu gritei e pulei da cadeira.

— Não sei! Olhe, pode estar escrito dentro.

Eu rasguei o selo. Era ela!

"Te peço perdão!", escrevia Nastenka.

"Imploro de joelhos que me perdoe. Menti para mim mesma, menti para você. Foi um sonho, uma fantasia... Eu morri mil vezes por você hoje. Desculpe! Te peço perdão.

"Não me culpe, porque não mudei nada em relação a você. Eu disse que te amaria, ainda te amo, te amo mais ainda. Meu Deus, se eu pudesse te amar ao mesmo tempo que o amo! Se você fosse ele! Se ele fosse o senhor!" Essa frase transpassou minha mente. Estas são suas próprias palavras; Nastenka, que está em minha memória.

"Deus é testemunha do que faria por você agora! Sei que está perdido na dor e no sofrimento. Eu te machuquei, mas quando nos apaixonamos, lembramo-nos da dor? Ora, você me ama, não é?

"Obrigada, sim, muito obrigada por tamanho amor! Lembrarei que foi um sonho gostoso, daqueles que nos lembramos muito tempo depois de acordarmos; porque sempre me lembrarei do momento em que você se abriu para mim de maneira fraterna, e tão generosamente aceitou a oferta do meu coração partido para guardá-lo, cuidá-lo e protegê-lo... Se você me perdoa, sua memória será edificada por mim em um sentimento eterno e nobre que nunca irá desaparecer de minha alma...

"Vou guardar essa memória, serei leal a você, não vou te trair, não vou trair meu coração: ele é muito imutável para que tal coisa aconteça. Como você pode ver, ontem mesmo ele foi devolvido tão rapidamente para quem que o possuirá para sempre.

"Nos encontraremos de novo, você virá a nossa casa, você não vai nos deixar, você sempre será meu amigo, meu irmão... Quando você me vir, você apertará minha mão... certo?

"Apertará minha mão, porque me perdoará, sim? Você vai continuar me amando como você fez até hoje?

"Sim, me ame, não me deixe, porque agora eu o amo muito, porque eu mereço o seu amor, porque eu sou digna dele... Meu caro amigo! Vamos nos casar na próxima semana. Ele ainda me ama, ele nunca se esqueceu de mim... Não fique zangado por ter te falado dele. Quero que você o conheça: você vai ser amigo dele, certo?

"Desculpe-me! Lembre-se e ame sua Nastenka."

Depois de ler esta carta várias vezes, as lágrimas turvaram meus olhos e, finalmente, baixei as mãos e cobri o rosto.

— Meu filho! Oh, meu rapaz! — disse Matriona.

— Qual é o problema, velhota?

— Tirei a teia de aranha do teto. Agora você pode até se casar, convidar amigos e vai tudo estar em ordem...

Olhei para Matriona, ela ainda era uma mulher feliz, uma jovem senhora; mas não sei porque, de repente senti que seus olhos estavam opacos, seu rosto estava enrugado, encurvado, feio... Não sei por que de repente parece que o quarto era tão velho quanto Matriona. As paredes e o chão estavam opacos, turvos, tudo estava obscuro, na minha opinião as teias de aranha se multiplicaram. Não sei por que, quando olhei pela janela, senti que o prédio do lado oposto também estava escurecido, o gesso do pilar estava quebrado e caía, que as cortinas ficaram pretas e rachadas, e as paredes amarelas brilhantes perdendo a cor...

Ou um raio de sol apareceu de repente atrás de uma nuvem escura na chuva e se escondeu atrás dela novamente, tudo na minha frente parecia escurecer; ou talvez um pensamento desconfortável e triste passou diante dos meus olhos, com todas as minhas visões de futuro, e me vejo exatamente como hoje, quinze anos depois, no mesmo quarto, com a mesma Matriona que não ficou, com o tempo, mais inteligente.

Mas que só eu consiga me lembrar da minha dor, Nastenka! Que eu não use repreensões amargas para obscurecer sua felicidade límpida e pacífica, não desperte a culpa em seu coração, que não lhe pranteie com arrependimentos secretos, e não bata com tristeza no momento da felicidade. Não faça apagar a flor delicada que grudou em seus cabelos negros no dia em que você for ao altar com ele... de jeito nenhum! Nunca! Que o seu céu esteja claro, que o seu doce sorriso seja gentil e sereno, e que você seja abençoada pelos momentos em que trouxe felicidade e alegria ao meu coração solitário e grato.

Oh meu Deus! Um minuto de felicidade! Isso não é suficiente para preencher a vida de um homem?...

Este livro foi composto com a tipografia Times New Roman
e impresso pela Meta Brasil.